▲ 海岛上（2000 年）

▲ 秋山凝思（2006 年河南内乡）

▲ 刘心武部分散文随笔集书影

刘心武文存26

[1958—2010]

散文随笔 第四卷

仰望苍天

刘心武◎著

江苏人民出版社

图书在版编目(CIP)数据

仰望苍天 / 刘心武著. —南京：江苏人民出版社，
2012.11

（刘心武文存；26. 散文随笔；4）

ISBN 978-7-214-08432-3

I.①仰… Ⅱ.①刘… Ⅲ.①随笔-作品集-中国-
当代 Ⅳ.①I267.1

中国版本图书馆CIP数据核字(2012)第143537号

书　　　名	仰望苍天
著　　　者	刘心武
责 任 编 辑	刘 焱
统 筹 编 辑	李 丹
特 约 编 辑	朱 鸿
文 字 校 对	陈晓丹 郭慧红
装 帧 设 计	门乃婷工作室
出 版 发 行	凤凰出版传媒股份有限公司
	江苏人民出版社
出版社地址	南京湖南路1号A楼 邮编：210009
出版社网址	http://www.book-wind.com
经　　　销	凤凰出版传媒股份有限公司
印　　　刷	三河市金元印装有限公司
开　　　本	700毫米×1000毫米 1/16
印　　　张	15.75
字　　　数	384千字
彩　　　插	4
版　　　次	2012年11月第1版 2012年11月第1次印刷
标 准 书 号	ISBN 978-7-214-08432-3
定　　　价	42.00元

（江苏人民出版社图书凡印装错误可向本社调换）

《刘心武文存》出版说明

　　《刘心武文存》收录刘心武自 1958 年 16 岁至 2010 年 68 岁公开发表的文字约 900 万字。《文存》共 40 卷，按文章门类收录，计有长篇小说 5 卷、中篇小说 4 卷、短篇小说 5 卷、小小说 1 卷、儿童文学 1 卷、建筑评论 2 卷、《红楼梦》研究 4 卷、散文随笔 11 卷、杂文 1 卷、海外游记 1 卷、多品种（图文交融文本、报告文学、诗歌、剧本、足球评论、译述）1 卷、创作谈 1 卷、理论批评 1 卷、早期（1958 年至 1976 年）作品 1 卷、自述 1 卷。因跨越时间达半个世纪以上，收录定有遗漏，但其此期间的主要作品，相信均已收入。

　　《刘心武文存》各卷均附有《刘心武文学活动大事记》及《刘心武著作书目》，可备检索。

　　编辑出版《刘心武文存》的目的，意在供各方面人士阅读欣赏、分析研究、批评批判、收藏保存。

刘心武文存

26

目录

仰望苍天·001

一切都还来得及·006

宣传自己·009

室中不可无此香·012

让风吹过·016

枯鱼过河泣·019

坐下来，笑一笑自己·022

人是做出来的吗？·025

吃之外·028

入目礼·030

清点贺卡·032

一个好心情·034

想看《阮玲玉》·036

你会"跳房子"吗？·038

小脚老太太跳绳·041

带刺的微笑·043

品位问题·045

"砂洗绸"和"无光纸"·047

夏利车与手提袋·049

丑媒婆可以休矣·051

《笔会》在十版"·053

指 错·055

游者轻言爱·057

巨无霸·059

难 喻·061

瞬 间·063

失稿记怅·065

想喝碧粳粥·068

重叠那"黄"字·071

他信上帝·074

我的两个读者·078

"黑匣子"以外·088

话说"沉甸甸"·091

池塘·瀑布·喷泉·096

眼角湿润·099

为一只麻雀高兴·102

调剂你的生活色·104

不要看镜头·106

现在就笑·108

过家家·110

福斯特戒酒·113

买不起看得起·115

尊敬实业家·117

技术性问题·119

消化误会·121

自我感觉·123

照眼儿·125

自己挂帆·127

男扮女妆与女扮男妆 · 129

去看银杏树 · 132

两性在心理上平等吗？ · 135

克林顿之唇 · 138

后现代女性 · 141

男人为何不开屏？ · 144

奖杯应否一律"银杏化"？ · 147

梨花满地不开门 · 150

你愿当花瓶吗？ · 153

她为什么不戴首饰？ · 156

永难划上的等号 · 159

胡愁乱恨 · 162

买站票 · 164

反逆心理 · 166

耳根清静 · 168

炫财与炫才 · 170

蜡烛应无泪 · 172

自我陌生化 · 174

忘年交 · 176

他人瓦上霜 · 178

直觉的双刃刀 · 180

青春不怀旧 · 182

从中心到边缘 · 184

放　松 · 186

败　兴 · 188

戏　说 · 189

犹　豫 · 190

厌　倦 · 191

为古人担忧 · 193

树　友 · 194

将就是夫妻 · 196

不愿意什么 · 198

畏　惧 · 200

"穷人意识" · 201

抱惭而进 · 203

寻找温点 · 205

高中女学生的钱包 · 207

我还能拨动你的琴弦吗？ · 209

作者自白 · 213

附录一　刘心武文学活动大事记 · 215

附录二　刘心武著作书目 · 224

仰望苍天

5年前的一天，我在美国加州最南的港口城市圣迭戈的一幢住宅中心神不定。朋友刚把我接到她的家中，便又急匆匆开车去幼稚园接她儿子去了。尽管主人临走时告诉我可在起居室和厨房间任意取用一切，但我对于并非自家的东西总有一种摸触非礼的心理障碍，口渴，喉咙里发涩，但终究也还是没有从冰箱里取饮料；走出起居室的大玻璃门，外面是小小的庭院，芳草如茵，拥簇着一个云朵形的小游泳池，池中有一个怪东西在蠕动，定睛一看，原来是一种自动清除池中秽物的机械，怪不得泳池活像用纯矿泉水兑成。

忽听宅中有一种声息。像是有人闯了进来。朋友刚走不多时，似不应如此迅捷地回来。心中不免一紧。忙跑回起居室，这时便看见一个英俊少年，背着双肩负的书包，正从门道往里走。这才不免暗笑，怎么就忘记他们两口子有两个儿子呢！去接的是小的，这自己放学归来的自然是老大。

老大见了我只淡淡地一点头，毫无惊诧感。我便笑问他："你是不是该打电话报警呢？家里忽然有这么个陌生人！"他也只淡淡一笑："妈咪说过你来。"我便故意逗他："可你妈咪现在不在，你怎么能断定我就是她说过的那个人呢？"他这回笑得深一点儿了，但也只是笑，并不再作答，卸下书包提在手上，蹦跳着上楼去了。

我那朋友便是台湾旅美作家李黎。当然，她的先生也是我的朋友。论起来我在1978年就认识她先生了，比认识她还早，但毕竟她先生是个从事医学理论研究的科学家，而她是个作家，因此后来倒是我和她过从得更密切些。在圣迭戈，也主要是李黎陪着我各处跑。记得在该城一处"后现代主义"风格的商业中心的咖啡座喝咖啡时，我同她笑谈到与他们那大公子谋面的情景，她解释说："我们那个居住区很太平，自迁来后从未听说过打家劫舍的刑事案，所以就是我事先没跟他提起过，突然见到你他也不会盘问什么的，更不会打电话报警。"

在圣迭戈我对他们大公子的印象也就这么淡淡的一点儿，倒是对二公子印象更深一些，我记得老二回到家李黎嘱咐他时他总是大声地应"耶斯舍尔（是的，先生）！"李黎就总耐心纠正他："耶斯妈咪（是的，妈妈）！"可见老二正处于幼稚园里的英语教育和家里的华语教育的双向熏陶之中。还记得我们一起去加州的迪斯尼乐园游玩，看 360 度大环幕电影时，我把老二抱起来他还是不满足，便爽性把他扛到肩上，他才快活起来——但他是个小胖子，看到终场，把他放回地面后，我的肩膀还痛了很久。当时心中就暗有对比，为什么他们老大身材那么紧凑，面容也秀气多了，而老二却胖胖憨憨，眉眼总像没大展开似的。

4 年前李黎又来过一趟北京，约我去豆花饭庄同一群朋友聚会，大家谈笑之余，李黎拿出一叠照片给大家传看，记得里头有好多张是她那老大在天安门广场玩滑板的镜头。滑板这玩意儿近年也传到了中国，但终究还不普及，那么大一个带轱辘的木板，也不固定在人的脚上，怎么玩起来竟可以飞旋，岂止自如，还可以变出许多杂技般的花样？李黎告诉我那一回带大儿子来时也给我打过电话，因我不在京没能联系上。她说她那老大在天安门广场上飞旋着玩滑板时，引得好多人围观并啧啧称赞。言表间溢出许多自豪。当时我心中暗想，她对老大恐怕有些偏心。为什么不带老二来中国玩玩呢？

3 年前的一天忽然接到上海李子云电话。她在电话中告诉我，李黎的大儿子突然去世，李黎两口子悲痛莫名，让我赶快写封信去安慰他们。我非常震惊，忙问怎么回事？发生了车祸？李子云说古怪之极，就是和弟弟一起在草坪上玩耍时，忽然倒下不动，弟弟以为他开玩笑，那样年龄的孩童装作"饮弹而亡"是常有的事，我小时也曾频频如此作戏——但他却就此再不起来，弟弟推了一阵叫了一阵发现异常才跑回家中告知李黎，李黎原也以为那只是故意"诈死"呕人，谁知赶往现场一摸竟已发僵，急送医院，无救，当时丈夫正在瑞士参加一个学术会议，她也不及同他商议，便让医生作尸体解剖，解剖的结果，是发现心脏背面有一根动脉血管破裂，据说那是非常罕见的一种遗传性突变，但也仅仅是"据一家之说"，因为众多搞遗传学的人并不能就此达成共识。

李黎的悲痛，自不待言。更震惊更悲痛的是父亲。李黎简直不愿、不敢、不忍将那突如其来的噩耗告知丈夫。但又怎能不告诉？结果告知的刹那，做父亲的竟以为是一种不该有的恶作剧，待终于听明白确是一种已然存在的现实时，他不是嚎啕大哭不是昏死过去不是歇斯底里更不是镇定坚毅，而是表现出一种不能进入事实的恍惚。他不能承认那是事实。如果他心存迷信或者还不致痛苦到那样的程度，他却又偏偏是一个笃信科学的理智超优的人，更可叹的是他所从事的科学研究恰恰是医学理论，而且恰恰偏重于遗传学！

接到李子云打来的长途电话后我马上铺开信纸给他们写信，却先是不知如何下笔，后来写至一半团掉再写，如此至三，终于写成一封，都装入信封，粘好邮票了，却到头来又没有投寄。我总觉得外人的一切哀悼劝慰，尤其是文字的，对他们都不仅难以减轻心灵创痛的深重，而且搞不好反会将他们已经有所抑制的痛苦重新勾引到浓酽的程度，考虑到我的越洋信函到达时很可能有那样的副作用，因而没有投寄。当然更重要的是我觉得自己的信没有写好。怎样写得更好？我没了主意。这真是我这一生中最难写的文章之一。

后来世事诡谲倥偬，我们又天各一方，虽然我仍系念着他们，想来他们经历那样的打击后我又并未致函慰问，恐怕也就把我淡忘，没想到两年前元旦前突然接到李黎寄来的贺卡，上面写了几行字，有云："听李子云讲，你给我们写了信，但没寄出。我只当你已经寄了……"她只当我已经寄了！她能宽容我，说明心境已恢复到相当平静的状态！油然的欣慰顿时流遍我的全身。看信封上的地址，已非圣迭戈而是湾区的斯坦福大学附近。他们离开圣迭戈是对的。在斯坦福大学，他们一个全身心地投入教研工作，一个全身心地投入写作，重建他们的生活；失子的哀痛，总算渐渐淡隐了下去。

李黎后来写了一本书，叫做《悲情日记》，详细记述了自大儿子突然死亡那天到举家迁离圣迭戈的心路历程。因为书中有许多超越个人悲哀的发自肺腑的形而上思考，因而读来动人心魄。最奇特的是该书出版不久后，她接到一封寄自加拿大的读者来信。来信者也是一位母亲，也有一位大儿子突然死亡，死因经尸体解剖也是心脏背后有一根隐蔽的动脉血管爆裂。这倒也罢了。最令人莫名惊诧的是算来那位暴卒的少年也正当 18 岁，与李黎的大儿子是同年生人，巧合到这里应已令人跌足了，谁知更有细密的吻合——那少年的生日比李黎的大儿子晚 14 天，而他的突然死亡，也正好在李黎大儿子死后的第 14 天里。所以那母亲来信里对李黎说："你写的简直就是我们家的事！"这样的读者来信是令作者心碎的。心碎不仅仅是因为重新勾出了失子的哀痛，心碎的更重要原因是有一种理性认知轰毁的大惶惑。

今年上个月李黎又来北京，是从美国飞到台湾担任了一段《联合报》评年度文学奖的评委后，来大陆旅游的。我们在天伦王朝饭店那个号称"东亚第一室内大堂"的宽阔空间里，坐在空空荡荡的一些咖啡座中间，听着小乐队演奏莫扎特的弦乐四重奏，谈了大约一个小时。李黎返美后来信说："谈话要一对一。我从台北到北京绝大多数场合都是济济一堂（桌）式的，多半言未及义便闹哄哄散了，反而没有跟你谈得多些。"是的。那天她异常平静地同我讲了些非同寻常的话，我都铭记在了心中。

她说，其实女人往往比男人坚强。即使平时非常坚强的男人，在有些事态面前也还是不如女人镇定，到头来还是要靠女人的扶持才能从恍惚中回到现实，从狂乱中复归理智。

她又详尽地给我讲述了大儿子离去的情况。她说那小伙子从小就简直没有怎么进过医院，发育的正常、身体的强健，本是没有什么好怀疑的。他以品学兼优结束了中学生活，正充满自信地要跨入大学。临去前一晚，参加一个同学的生日派对，平时相好的少男少女全到了，大家玩得十分快活。第二天一早，他起来就为母亲冲刷汽车，擦洗得干干净净，然后，他便同弟弟还有最要好的一个朋友，相约去打网球，一路上也有说有笑，但穿过一片草坪时，他只轻微"哎哟"了一声，便突然仆地，就此溘然长逝。

她说，如果是一次车祸，那么总有一位肇事者，要对这件事负责。如果是一次谋杀，更不消说有可恨的刽子手存在。如果是一种目前人类能以指认的疾病，那么也总还可以怨怪那疾病本身。在另外许许多多能以设想出来的前提下，也还可以怪罪于比如什么部门什么厂家什么服务人员乃至于哪位邻居甚或哪位路人。但是大儿子的突然死亡，却找不到任何一个应为此负哪怕是小小责任的人。丈夫是搞遗传学研究的，从遗传学角度考察此事，也还找不到这种血管突然爆裂的隐患是遗传基因所致的有力证据。

"无语问苍天。"

她没说这句话。但是听她诉说时，我却有一种仰望苍天的心境。茫无边际的浩瀚宇宙间，谁是冥冥中的主宰？为什么造出这样强健聪慧的生命，年轻轻地又如此残酷地即刻将他毁灭？并且不给他的亲人一个可以面对或至少可以想象的责任者，去倾注怨恨或者给予宽恕？

在这人世间，无论我们活得幸福自在还是贫困潦倒，只要我们的理智尚可认知——哪怕是粗粗地认知——所面对的事实，我们就即使身在福中也不会张狂、身在祸中也不会惊恐，然而我们却往往面对难以认知的事实。特别是我们这些中国文化浸泡出来的知识分子，即使如李黎两口子居留美国多年并已归化美国，但终究还不是基督教文化的产儿，我们不信仰上帝，没有宗教情绪支撑心灵，却也没有一般中国低文化民众那样的迷信心理，可以用非理性的浅易方式麻醉自己的意识，结果，面对类似没有责任者这样的死亡事实，我们在痛苦和悲哀之后，竟只好仰望苍天，在清醒的惶惑中继续我们艰辛的人生途程。

我和李黎在天伦王朝饭店门口静静地分手。她后来由北京前往云岗、悬空寺以及西安、兰州、敦煌等处旅游，我则回到自己家中写些自以为是有意义的文字。她回到美国后给我来了信，我却仍没有给她写信。也许圣诞节前我会给她寄去一张自绘的贺卡，贺卡上也许画一只很大的眼睛，瞳仁里是深不可测的苍天。

1992 年 10 月 28 日匆就

一切都还来得及

　　有时候，人会觉得一切都完了，阳光不再灿烂，绿树不再青葱，花儿不再美丽，歌声不再悦耳……会不想吃饭，不想睡觉，不想多谈，不想继续做事，甚而会有灰色乃至黑色的阴冷念头涌上心尖——这就是那样的一些时候：考试不及格、应聘不录取、竞赛中败北、竞争中落伍……以及遭逢异性的拒绝而失恋，错过难得的机会而失悔，等等，等等，总之，顿觉我生何趣，万念俱灰。

　　这种挫折感、失落感、耻辱感、空虚感，针刺般地折磨着灵魂，那真有如在一座脆弱的吊桥之上，身后是一派天真烂漫而已无法回首，身前是可望而不可即的诱惑而只觉脚下的桥体已在嘎吱吱地断裂，朝下望，则黑黝黝的深渊似乎正在发出狰狞的恶笑，张开着密布利齿的大口只待你的沉沦……

　　这时候，人最迫切需要的，是一种最单纯的信念，即——不要紧，没关系，只当生活刚刚开始，不回头，朝前望，一切都还来得及！

　　是的，不要停下你的脚步，但要把下一个步子走得更好，调整得更加合适，不要为原来的失败和挫折而过分地责备自己，更不要为客观的不利因素而无谓地怨天尤人，走你的路，并坚信一切都还来得及——从脚下这新的一步重新开始！

　　一位年轻的朋友在他们那个企业的优化组合中被"优化"出去了，他痛不欲生。他跑来对我说，倘若他真是一个低能的调皮鬼，那么就是将他彻底开除他也绝无怨言，而万没有想到那优化组合的过程犹如一面无形的镜子，照出了他人际上的一贯疏离，那却是他以往从未深刻意识到的。现在人们都礼貌地婉拒与他合作，才令他雷轰电掣般地猛醒——原来他的孤僻与固执，在他人眼中竟达到了那般不被容纳的程度！

我握住这位年轻朋友的手，诚恳地劝慰他：冷静地面对这确实令人发窘的境遇，不要恐慌，不要灰心；是的，你的生活面临着一次危机，但"危机"可以分解为"危险"和"机会"两个要素。"危险"决定了你必须避凶趋吉，"机会"意味着你有了对生活作出重新抉择的可能，不要对这一处境发怵，而要把这一处境视作激活自己潜在生命力和创造性的良性碰撞，要知道你毕竟还年轻，一切都还来得及！……

年轻的朋友皱着眉头说：我性格如此，从小如此，而且在人们眼中心中也已定型，现在我就是想重头做起，也万难变易性格，改变人们对我孤僻内向、寡言难通的印象，你说一切都来得及，不过是激励我的一句空话罢了，事已如此，哪里还来得及！

是的，缺点好改，性格难移，而要将他人眼中所定型的你，再重塑为新的形象更谈何容易，但是——我劝那位年轻的朋友——你也无妨再仔细地想一想，你那人际上的问题是不是也不能都推诿为性格，有没有对世界和社会的认识上的欠缺？比如说，你以往是否未能清醒地认识到，随着当代世界的科技、经济、生活方式的发展变化，个体生命越来越不可能超脱于群体，因此，与他人特别是与创造物质财富和精神财富的群体的亲和趋向，应成为当代社会中个体生命的自觉意识之一，所以，借助于这一回的为群体所筛汰的危机，你无妨从理性认识上来一个跃升，增强自己心理上、意识上与群体的亲和力，并扎扎实实地身体力行。相信经过努力，群体对你的认同和容纳，是一定可以增强的。

年轻的朋友想了想，说：是的，我想自己除了性格因素以外，搞不好人际关系也确实还有认识上的原因，以及不掌握与人沟通合作的种种人际技巧；但是，我还是觉得一切都晚了，现在再来提高、改变这一切都太艰难了……

我为这位年轻的朋友对待人生的严肃态度所感动。他并不轻率地靠泛泛的鼓励而忘却挫折的创痛，并努力地寻找着克服挫折的途径。我替他想了想，便又对他说：是的，说一切都来得及，并不意味着干一切的事情都还来得及，而是意味着有包含在"一切"中的许多种可能性可供我们慎重抉择，作出这种抉择是完全来得及的！

比如你遇到的这个情况，除了作出改变自己的为人处世态度以求再被组合进那群体而外，也还可以作出另外的抉择，比如：(1) 跳槽到另外的一种群体中，那类群体共同工作时不需要成员之间有过密过细的人际勾连；(2) 毅然改换另一种更具独来独往独当一面特点的职业，将自己的慎独性格从劣势转换为优势；(3) 随遇而安，蛰伏一时，在此期间加强自修，并从容调节心理，特别是增强对世界和人生的认识，以待新的机遇……

怎样在这充满考验与筛汰的世界和人生中应付预料中和预料外的挫折？那是一番话一篇文章都难说透的，但至少我们可以在挫折面前先对自己说上一声：不要慌，一切都还来得及……

1992 年 7 月

宣传自己

"你们不要宣传我，要多多宣传下面的同志……"一位被记者采访的领导干部诚恳地说。

他那谦逊的美德，自然令我们钦佩。但倘若是在一项比如说差额选举的候选人竞选演说中，他也用这样的句式说："你们不要注意我，我其实并没有什么优点可言……"那听众们一定要么目瞪口呆，要么哄堂大笑。

在引入竞争机制的社会生活中，宣传自己不仅成为一种必要，也成为一种尊严，一种快乐。他人和群体接受认可了你对自己的宣传，那便是你自我价值的兑现，同时你的自我价值也便融汇到了社会的总价值之中。

三个姑娘同时到某合资大饭店去应聘，主持面试的副总经理问："你们都有什么特长？"

甲姑娘腼腆地说："我……没什么……"她想到父母师长一贯教诲自己要谦虚谨慎，她也实在是想不出自己有什么值得一提的专长，所以这样回答。

乙姑娘想了想说："我会弹钢琴。我从小接受过训练，弹完了三本拜厄钢琴练习曲，还弹奏过许多小奏鸣曲……"

丙姑娘抢上去说："我也会弹钢琴！我还会拉手风琴！我还会唱歌、跳舞……会溜冰，还会裁衣服缝衣服……我还会织毛衣、绣花，会用纸叠玩意儿……"

结果副总经理录取了乙。

甲心里不服，她想：其实我小时候也练过钢琴啊，那能算什么专长呢？我现在拾起来，苦练一阵，也一样能弹奏出比如说《致爱丽丝》《少女的祈祷》那样的曲子，有什么难？又不是真跟乐团里的钢琴师那样，翻开什么谱子都能弹上来，乙也真好意思，说自己的专长是弹钢琴！

丙更是不服，她还找副总经理去申述："我也会弹琴呀！我的专长还不仅仅是弹钢琴一种……"

甲走了以后，副总经理让乙、丙各在钢琴上弹奏了一曲，最终还是录用了乙。

乙的被录取，究其实，主要在于她会宣传自己。甲不仅不会宣传自己，她甚至于不会从自己的经历中提炼出独特的优势，头脑中只有谦逊的道德感（这很好），而缺乏跃动的竞争意识（这就差了），故而败北。丙固然懂得要大力宣传自己，然而她宣传不当，有堆砌和浮夸之嫌。她所列举的种种特长中，有的与饭店业务风马牛不相及，所以话一出口，便未能给副总经理留下好的印象，及至当场弹琴，因为她事先没有准备，仓促上阵，所以终于不能敌过乙而败退。

乙的自我宣传，突出重点，且"对症下药"（大饭店的大堂一般都备有三角钢琴需找人弹奏），又相当实事求是，而不谎言浮夸（如硬说自己水平很高，能够弹奏高难度作品），因为事先就考虑到或许主考人会让自己一展专长，去应聘前已练习了一段时间，所以一旦获得了副总经理的好印象后，再当场弹奏，铿锵有致，难怪就被录用了。

宣传自己，也就是给自己作广告。作广告便有"待价而沽"的含意，在改革开放之前的社会环境中，"待价而沽"不消说是一种既遭群体鞭挞也令自我羞惭的行为，但在改革开放之后的社会环境中，完全甘于默默无闻、纵使不被人确认其价值也绝无怨言，全然不去宣传自己，耗尽自己而绝不索求报酬的人当然还有，也格外令人尊敬与钦佩；但通过宣传自己、自我广告，而力争社会、群体、他人对自己价值的充分肯定，从而合理合法地获得人们企盼的职业、待遇乃至于爱人的做法，也渐渐成为了一种社会的良性常态，应当说，这是社会生活的一种进步。倘觉得视为进步未免过分了一点，那么，这至少是社会生活的一种丰富。时下众多的报纸杂志上，都有征婚广告，征婚者当然都在那里作自我宣传，《时代青年》便时常刊出"爱的呼唤"。据说有的杂志上刊出的征婚广告中有人不仅自我吹嘘，而且弄虚作假，设下骗局，比如说自己体健貌美，经济富裕，已办好出国手续，只待觅一知音携手到海外共创大业云云，引出无数狂蜂浪蝶。上当者以数打计算，那自然是"宣传自己"的虚假伪劣广告，有的已构成刑事犯罪，理应警惕、杜绝、取缔、打击。但宣传自己的社会潮流如征婚广告的涌现那是不必阻拦也不应禁绝的。据说有一位小伙子在征婚广告中写道："身体健康却未必健美，经济宽裕却并不富有，爱好不多只专注集邮，脾气不错也偶会发火……"却也引出了数十位应征者，远比那些说自己"体健貌端，收入丰厚，爱好广泛，性格温柔"的男士更受青睐，你说他那秘诀何在？

不管我们心理上能不能承受能不能适应，时下的中国也形成了常常需要宣传自己才能施展才能和抱负的人文环境，读者诸君，让我们都来把自己恰当地介绍给这个蓬蓬勃勃地发展着的社会吧！

1992.8

室中不可无此香

　　最近，读到一位海外华文作家的文章，是说读书读得太多了，因而生出被书束缚住的不快，思想变得很沉闷，由此又生出若干的想法。如觉得读大自然和读社会都远比读书更为紧要，又如觉得只有庸人才拼命读书，其实聪明人只读很少的书，蠢人全然不读书，也都能混得挺不错，等等，等等。我对他的文章，颇为欣赏。但这种欣赏，犹如在饱食了一餐生猛海鲜之后，很与"高密聚蛋白质摄入量过多危害健康"的论点共鸣似的，只是一种特定前提下的偶然心境。

　　最近到一对新婚夫妇家里做客，他家室内的装潢、陈设、情调，都极新潮，使我置身其中时，只有惭愧与艳羡。但经他们引领着参观完两个居室以及厨房，卫生间乃至壁橱之后，我又不禁愕然：他们家可谓基本无书，那组合柜中有一部分从设计构想上显而易见是用来放书的，他们却用来摆放着一些装饰性瓷器，固然都不算恶俗，却使我心中隐然有一种缺落感。

　　坐在他家的仿皮沙发上，啜着他们热情递上来的冰镇雪碧，只觉一缕香气，幽幽然袭向鼻际，便问他们可喷过带香味的空气清新剂，他们笑说自然喷过。但引得我发问的，却并非喷洒的效应，而是我座侧的灯台上，有一个造型奇异的玻璃香座，香座中灌有进口的田原型香水，故而有丝丝缕缕的香气，不绝地逸出，使我感到新奇。

　　小两口因除本职工薪外，都还有我不便细询的"灰色收入"，故而生活水准堪称小康，聊起来，他们读大自然和读社会，也都颇为投入。比如他们旅行结婚就去了一大串风景名胜地，有的地方我至今亦无缘一游；而他们对社会上一些新出现的事物如股票，就更比我"门儿清"。但在同他们的交谈中也就感觉到，他们的读风景和读社会，实在存在着明显的缺憾，例如他们去游了扬州，记得扬州的包子多少钱一笼一笼里有多少个，但当我吟出"二十四桥明月夜，玉人何处教吹箫"时，他们却茫然不知何意。我告诉他们在游瘦西湖时，一定游经了新恢复的"二十四桥"景点，他们仔细回忆，确也从那里匆匆而过，但谁是杜牧，杜牧的这类诗句究竟有何意趣，以及游经那景点时应有何种联想和情致，虽经我详加说明，仍如食过熊掌后方知是熊掌而绝对品不出其妙味。这倒也罢了，他们谈起听来的炒股故事，某某人一夜之间如何暴发为腰缠万贯，某某人又如何大作空头，操纵了某种股票的股情，眉飞色舞，兴高采烈，似乎人生乐趣，毕集于个中，这就使我不得不对他们发表我个人的一点感想：你们这室中可谓香气氤氲，包括"铜香"——我这人并不保守，绝不讳言金钱，亦并不认为钱就一定是"臭铜"，就社会而言，总得大力发展生产，拓展流通领域，使钱币坚挺，并可以金钱为一衡量标准，以确定其总体富裕程度；就个人而言，通过诚实劳动，或在社会法定与公认的游戏规则中运作，获得金钱，乃至达到暴富，也都并非坏事——但容我略进一言：你们这美丽的家居之中，独缺一香，而此香我个人认为是不可或缺的。他们齐问何香，我便答之曰：书香。

是的是的，何消我说，古人早有言曰："尽信书不如无书。"甚而认为"人生识字忧患始"。死读书，读死书，而最终会读书死。历史上传下的书，有精华，亦有糟粕，处在中国社会向封建社会告别期里的鲁迅先生，还曾愤激地对青年人说，要少读或者不读中国书，因为越读会越消沉，他建议要多读外国书，以增加活气；其实外国书我们现在也知道，何尝都值得读，有的甚至连外国人中的大多数也都视为文字和纸张的垃圾；说到如今市面上的书，不仅个体书摊上常有，绝对不值一读甚至或读而有害的书，就是公家的书店里陈列出来的那些书，也未必就都是好书，更未必都是值得一读的书。更何况现今的人类以工业化手段进行书的生产，从写作到排版到印刷到装订到打包一律可用电脑操纵，每一天每一小时每一分钟，天知道这世界上又有多少本书印出来上了市，我们纵使爱读书想读书，又怎么读得尽？又怎能作出明智的选择，不使自己的生命被文字和纸张的垃圾无谓地吞噬？

但我仍竭诚地建议我的青年朋友们读书，就我个人的体验，不可不读书的理由至少有下列数条：

——读书是人类的一种高级精神生活，人生在世，当然不可能样样获得，必会有被动所失乃至主动所弃，但读书这一高级精神生活方式，甚至关押在狱的犯人亦很少被绝然禁止，我们有着充分自主权的人，又为什么要自动放弃掉它呢？

——读经典名著，读严肃著作，可帮助我们的心灵架构起一种终极追求。当然，毋庸讳言，目前是一个人类普遍面临终极追求模糊化的局面，眼前利益，短期行为，集团冲突，规则紊乱，使许多人丧失了对终极追求的热情和意志；有的人原有终极追求，但种种内因外因的交相激荡，使那终极追求已然崩塌；重新架构终极追求，以支撑灵魂不使其破碎沉沦，已成为当务之急。读书是不是就一定能唤起终极追求的热情，一定能使崩塌的终极追求重建呢？当然也不一定，但人类的总体演进，就是在一波又一波的终极追求中前推的，我们生而为人而非生而为牛马为猫犬，那就不要放弃而应加入到人类总体性的终极追求的活动中去。纵使"路漫漫其修远兮"，又何妨"上下而求索"？

——读优美的文字，可使我们的灵魂变得精致些，澄静些。当然粗糙的灵魂，混沌的胸臆也未必就构成一个坏人罪人，但我们既然可以通过读怡情悦性、陶冶美感的书使我们的灵魂得到经常的沐浴和修整，又何乐而不为？

——读书增智。不仅教科书、专业书给予我们应具有的智慧，总而言之，"开卷有益"确为金玉良言，就是案头台历日期背面的那些文字，每天瞄上几眼，也绝无害处。一个已有一定道德修养的人，就是翻翻一些污七八糟的书，也并非浪费时间更非堕落蜕化，他可以从中知道这个世界有多么复杂，人性有多么深奥，从而反过来促进他更执著更顽强地向真向善向美。

——在茫茫书海中寻觅一本两本几本使自己终生喜爱乃至常伴案头枕边的书，那过程犹如在茫茫人海中寻觅一个两个几个相知相爱的朋友，是人生至高的乐趣，亦是个体生命同他体生命（包括历史上曾经存在过的和自己湮灭后宇宙中将续存的）之间达到融汇的绝佳方式。

愿我们都乐于读书，愿我们的居室中除了别的气息外还有纸张和油墨构成的书香！

让风吹过

俗话说"成年父子如兄弟"，我长到 20 多岁时，同已年近 60 的父亲之间，便应了这句话，形成了一种平等的关系，常似朋友般地聊天。父亲有一回就跟我说，他年轻时，一度十分崇拜当时的一位电影女明星，我便截断他的话头，猜说一定是胡蝶，要不就是阮玲玉。就是直到如今，我也很为自己所知道的这样一些明星名字而自豪。因为我出世晚，待到我能进电影院看电影时，胡蝶和阮玲玉的电影，早就没得放映了，我的同龄人里，那时能知道这样两个明星名字的人，大概已经很少；但父亲对我所说的这两位，却都摇头，他说他当年所崇拜的女明星，叫王汉伦，我便茫然了，甚至很唐突地说：王汉伦是谁？怕是个二三流的演配角的女孩吧？后来我读了一些有关中国电影发展史的书籍文章，才知道王汉伦曾经一度红艳耀眼到灼目的程度，那时代崇拜她的观众，又岂止我父亲一人？

但如同许许多多的明星名人一样，"昨夜的星辰已然坠落"，能始终令一代代一茬茬的人记得住永远崇拜的明星名人，经时间和人心的筛汰，往往所剩无多。往昔的热闹和繁华，大都随风而去，能够在一本专业性的史书中留下几行记载，或在一本并没有多少人经常翻查的辞典中留下一个简短的辞条，已属不易，更多的，往往是湮灭无闻。父亲青年时代崇拜过并以其银幕造型储留于父亲头脑中伴随父亲一生的影星王汉伦，已为我这下一代人所遗忘所轻视。这一小小的事实，常引出我对人世烟云浮荡散灭的深深惆怅。

仰 望 苍 天

　　远了不敢说，至少在本世纪以来，艺坛明星社会名人对一个正处在青春躁动期的青年人，常常有着超越政治、经济、社会、家庭的心理吸引力。"追星族"这个词儿也许是近年来才有的，但"追星族"却实实在在是"古已有之"，尤其是追舞台和荧屏之上的明星。我们略微翻阅一下有关的回忆录和轶事辑，便可以发现无数的例证，像当年就有并非多么阔绰的良家子弟，疯了似的追踪着要观赏梅兰芳的每一次演出；又比如当年的电影明星金焰，就不知道有多少青春玉女给他投寄过缠绵情书。但明星不断地更迭着，"追星族"也不断地重组着，社会生活不会真如枯井冰川，逝水日遥，新波旖旎，倘若有那追星者死心眼儿到星移而自僵，即形成某种"心理固置"，那就很容易自伤情感。倘若追星者竟错把明星名人这社会共享之尤物，当做是可以个人独专的物品，梦寐思服而外，还必欲据之而后快，例如男追星者死心眼儿地想真的亲吻、拥抱乃至同那女明星共缔鸳盟；女追星者死心眼儿地想让那男明星以"白马王子"的姿态把自己当做"灰姑娘"拥入怀中，严重的，便有可能因心理错位而导致精神失常。

　　我少年时代，住在北京钱粮胡同的一所大院之中。大院尽后头，住着一家人，他们兄弟姐妹数人，都生长得体格健壮、相貌端正，记得二哥是飞行员，三哥是大学生，几位姐妹，也都堪称窈窕淑女，或名花有主，或前途灿烂，唯独那位大哥，却仍贮留家中同父母厮守，没有职业，亦不能操持家务，他每日三餐以外，大多数时间，都只是静静地坐在一只小木柜上发呆。我每当望见他时，总觉非常诧异。后来略大一些，听家里人议论，才知那位大哥少年时是个电影迷，凡当时能买到的电影类报刊及电影说明书，均搜罗备至，后来更迷恋上了一位女明星，朝思暮想，不能自已，曾写去过无数情书，当然是泥牛入海，绝无半点反馈，也曾试图寻机去同那女明星接触，但都告失败。据说他曾对家人说，哪怕在追求中让那女明星当众扇一记耳光，他不仅心甘情愿，而且只当是一回热吻，但他就连那一记耳光或一次白眼也未曾获得过，于是他便决心为那女明星而死。家人慌了，后来大概是只好骗他，说那女明星终于知道了他那比山高比海深的恋情，决定息影后便来找他同缔良缘，白头偕老，劝他耐心等待。他这才放弃了自杀的念头，但从此便日日夜夜痴痴地等待起来，到我看到他时，他大约已等了20多年，头发全都花白。据说他每天所坐等的那只小木柜中，便是他所搜罗到的有关那女明星的全部画报、画页和电影说明书及从街上买来的玉照。后来我家搬离了那个院子。关于后院大哥的这一人生景观所带给我的刺激和惆怅，深而细、强而稠。特别令我无限叹息的是，他所迷恋过的那位女明星，不仅早就如流星般倏忽消失，如今一本简略点的电影史里，简直就捞不出半句议及她的内容，而一本有关的厚达三四百页的辞书里，也根本没有她的辞条。

我们毕竟都生活在一个明星和名人高悬照耀的社会环境里，赏星、崇星乃至于追星，本是不足为奇的心理，在青少年时期，甚至是一种不可抑制亦不必抑制的本能。但我们要注意，一不要心理固执，二不要想入非非，要懂得明星和名人是一种社会共享物，他或她是不可能成为我们一个不相干的追星者所专有的，我们从对他们的欣赏、崇拜中，可以获得教益，获得美感，获得怡悦，获得联想，却几乎绝对地没有可能也没有必要把我们的生命本体与他们的星体熔为一炉。

"追星族"，又称"发烧友"，作为坠入其中的一员，只可随风而舞，而不可随"疯"自焚，让年轻的心灵在某一天终于成熟，终于不再发烧，让狂热的旋风吹过去吧，留下的，应是甜蜜的自嘲，和恰到好处的惆怅。

1992.10

枯鱼过河泣

谁在青年时代，完全不曾荒唐过呢？

说实在的，即使不曾有过荒唐的行为，心中总涌动过荒唐的念头。

比如说，有的中学生躲在厕所里抽烟，被老师发现后，自然受到批评，并领受了一番训谕，末了问他："你究竟为什么要吸烟？"他就只是说："不为什么……因为、因为禁止我们抽烟，所以，所以想抽一下，看究竟是什么滋味……"

这种踏入禁区的冲动，就是 20 岁以上的青年人也很难完全避免，有一位大学里的研究生就对我吐露心曲说："你看我，这么大个人了，可不知为什么，在公园里，凡遇见'游人止步'的牌子，我就总想往那牌子挡住的地方深入……总有一种你不让我进去我偏要进去的劲头……"他向我坦白，他也真的在冲动中那么越"雷池"而深入过，结果一次是走到了内部职工宿舍，让一位正在晾衣服的大嫂轰了出来，另一次则发现那不让游人深入的所在是一个垃圾集中站，他自然不轰而退。

当然还有更荒唐的例子，都是在一种青春期骚动的心理驱使下，为消除神秘感，为寻求刺激，为显示自己已然成熟，为向同伴炫耀勇敢无畏，或仅仅出于一时的烦闷无聊，而轻率地踏入禁区。

一般来说，这种基本上属于好奇心胜而偶一荒唐的青春期非规范行为，只要尚能自我抑制，尚能适可而止，尚愿听取长辈的劝谕而迷途知返，都不算多么严重的问题。有的少年时代和青年时代的荒唐事，比如结伙打赌看谁有勇气只身穿过漆黑的墓地，自己果然拍着胸脯壮着胆子而又毛骨悚然地穿了过去；又比如因崇拜某歌星而"发烧"，苦苦守候在剧院后门等伊卸装出来好一睹芳容并请其签名，结果一无所获却得了一场重感冒……在步入中年以后，倒都不失为可资回味的人生橄榄，在苦涩中还有某种稚气的清香。

但对青春期的荒唐是不能无限度地宽容与原谅的，无论对别人，还是对自己。

目前我们正处在一个转型期的社会中，各种诱惑纷至沓来，健全而细密的游戏规则不可能迅即确立，许多事全凭我们自己本着良知判断，倚仗意志坚持，因此，倘若对自己心中的本能骚动完全不设防，一任其尽情发泄，则很可能导致"更向荒唐演大荒"的不良行为，酿成"一失足成千古恨"的后果，那可能就是人生的大悲剧了！

我就知道，有那本来好端端的青年，禁不住别人的引诱，先是出于好奇，想知道一下"吸毒究竟是怎么一回事"，又觉得反正我只吸一次，试试就行，怕什么呢？结果便轻率跨进了全世界不同社会制度国家全都列为禁区的吸毒黑圈，一吸，便中了邪毒，在为时短暂的错乱性精神快感之后，紧跟着便是难耐的疲惫、空虚与酸痛。因此便不得不再吸，而每吸一次，那快感时间都在缩短，而吸毒期间的痛苦便成倍增加，从此形成恶性循环，难以自拔，引诱者便又将其进一步拉进贩毒集团，贩毒在全球范围内都是列为重罪的，那陷入毒阵的青年，最后也随贩毒头子而被捕，导致了毁灭。

在一个转型期的社会中，青年人尤其要清醒。在纷至沓来的种种诱惑面前，要适度控制自己的欲求。不要以为社会未及建立细密的游戏规则便可以肆意胡来，在最粗疏的规则面前，越轨的行为也可能遭受到沉重的打击。要努力使自己的心性稳步走向成熟，架构起一种即使不那么崇高也属于良性的终极追求，并自觉地维系一种即使不那么严格也毕竟设有雷池的道德规范，驾驭住自己那往往是野马难驯的青春期心理骚动，从而使自己能身心双健地成为社会中一个超建设性作用的成员。

我曾收到过数封从监狱里寄来的信函，那些青春未逝而自己失足的犯人在信中向我诉说了他们的悔恨，祈求我给予他们教诲与安慰。老实说，我实在不知道该怎样才能切实地帮助他们,但他们的信函使我想起了一首大约 2000 年前就有了的古乐府诗:"枯鱼过河泣,何时悔复及;作书与鲂鲐,相教慎出入!"那不知名的民间歌者,从丰富奇诡的想象力,假借一条已然被钓捕且已干枯的亡鱼之口,以沉痛的追悔莫及的口气,告诫那些尚有自由的同类,千万不要荒唐行事!

人在青春期中,如花开在枝,往往并不能清醒地认识到青春的弥足珍贵。青春于我们每个人都仅有一次,犹如每朵花都仅能开放一次而已;花谢了,应有果的生长,人的青春逝去了,应有事业的成就,哪怕是平凡的事业;青春期的浪漫,青春期的荒唐,犹如花在勾蜂引蝶中怒放,在劲风中摇曳喷香,千万不要果未孕成花先谢,青春未逝罪已铸,"枯鱼过河泣",那悲声在青春的心中应如警钟长鸣啊!

1992 年 11 月

坐下来，笑一笑自己

岁月匆匆，又是一年将尽。

年轻的朋友，你有何感想？

一位年轻的朋友说，他没有感想并且不打算感不打算想。其实他是不敢想。不敢坐下来细想想青春的岁月是多么珍贵，不敢哪怕是粗略地计算一下已将结束的一年里的得失，不敢哪怕是囫囵地筹划一下即将到来的一年里的进退。为什么不敢？其实在他心灵的深处，也恰恰是深刻地意识到青春易逝、岁月难返，他企图以不感不想的消极态度麻醉自己，且随波逐流地再过上一段再说。

对这位年轻的朋友，我竭诚地奉劝他还是要勇敢地面对流逝着推移着而且迎面驶来的岁月，在这年终岁尾，坐下来给自己算算账，洗洗尘，张望张望前程，筹划筹划来年。

另一位年轻的朋友则告诉我，她早已开始作一年的总结，并制订来年的计划。但她一向我报告那自我总结，便使我随之产生一种沉重感乃至沉闷感——那真是未免太严肃也太繁琐了。说实在的，如果扣上一顶"形式主义"的帽子，也并不过分。比如她检讨到自己的外语学习上的不刻苦，就非拿奥运会上拿金牌的陆莉作比，列出了自己整整十条羞愧之处；年龄比陆莉大，个子比陆莉高，体重比陆莉多，学龄比陆莉长，而考试却不能得满分等等，这不是对自己太苛刻了吗？不仅为自己设置的标竿过高，其总结的方法，也未免弦儿绷得太紧，这样演奏自己的人生，是很容易弄得自己身心交瘁而毫无乐趣的。

我便介绍她一种较为洒脱的方法，便是年终岁尾时，无妨坐下来，静静地在心中笑一笑自己。

是的，笑一笑自己。

难得笑一笑自己。

笑一笑自己把多少光阴枉费到了无聊的事情上，比如为买到一只从画报上看到的女明星用的那种发夹，跑了多少百货公司和集贸市场……

笑一笑自己为了同单位的那位在自学考试中英语成绩比自己多了7分，便一连有7天对人家爱搭不理，任自己心中的妒火蓝焰飘荡……

笑一笑自己听到了上海亲戚炒股票发了财的消息，便一连好多天梦见自己也炒股票买了汽车洋房，其实自己到今天也还不知道股票究竟什么模样……

笑一笑自己头一回从事第二职业，那种仿佛偷了东西被千夫所指的狼狈惨相……

笑一笑自己那一天在地铁站口蓦地发现他竟和另一位青春女性并肩而行，言谈极欢，自己便愤然掉头而去，回家立即写出一封义正辞严的绝交信，而后来他打电话到你家你誓死不接，却原来那天与他并肩而行的青春女性是他在外地工作的表妹，他不过是从火车站接了她再把她送往会议报到的处所而已……

笑一笑自己那一天在百货商场为买一瓶洗面奶和售货员的口角，那售货员固然服务态度不好，自己又何必出言不逊，致使一群人围观，难道自己在免费表演小品？

笑一笑自己借了一盘美国得奥斯卡金像奖的电影《沉默的羔羊》录像带看，明明被那里头的暴力和变态行为镜头弄得心里很恶心，并且真是没感觉到那朱迪·福斯特的演技有多么高超，可因为怕一起看带子的他和其他朋友们讥笑自己不懂行没眼力，便硬和他们一起哄然叫妙，以显示自己品味不俗……

笑一笑自己仅仅因为在电梯里跟总经理打招呼时对方脸上毫无笑容只淡淡地额首，便整整两天疑神疑鬼，失却了应有的自信与自尊……

笑一笑自己一方面大抹苗条霜大作减肥操，却又一方面忍耐不住地大吃冰淇淋大嚼小甜饼……

……

就这样，在轻松潇洒的心境中，笑一笑自己，真诚地、毫无避讳地笑一笑自己，也许便无形中抖搂掉了心灵上的灰尘，领悟到了今后前行中应有的更佳路径，从而获得一种精神沐浴后的清爽，从而获得重上人生旅途的自信与勇气。

笑一笑自己，也便是我们常谈的自嘲。自嘲是一种高层次的幽默。自嘲是一种效果最佳的心理保健。自嘲是一种自信与自尊的体现。自嘲是一种智慧。自嘲是灵魂的升华。自嘲是人生的谐谑曲。自嘲是一种大欢喜。

也许会有年轻的朋友对我说，你所举出的那些"笑一笑"，于我实在都太轻飘了，我在生活中所遭遇的人与事，使我的心灵坠着沉重的负担，乃至划出了长长的流血的伤口，我实在笑不出来啊！

当然，各人境域不同，而且各人性格也不同，也许确实处在一种悲剧性境遇中的人，以及一些性格天然沉郁的人，"坐下来，笑一笑自己"的心理自律方法很难适用也很难把握。不过依我想来，即便你的人生真是那么凄凉，你的性格真是那么阴沉，努力地让自己心灵上浮出一个哪怕是淡淡的微笑，也总是有百利而无一弊的啊！

1992.12

人是做出来的吗？

前些天在一张小报上看到一篇小文，讲的是"还是要'做人'"的一番道理，文章作者有感于某电影明星大闹宾馆爆出丑闻，恳切地吁请名人们要提高道德修养，不仅要努力演戏，还要努力"做人"。

一些明星自己也从"做人"的角度发表感慨，例如这样的一串话我们就很熟悉："做名人难，做女名人更难，做一个中国女名人尤其难。"

人跟人确实不同。起码可以分为两类，一类是不平凡的，一类是平凡的。不平凡的固然又可以再加细分，例如有流芳百世的不平凡，也有遗臭万年的不平凡，还有一时一地的不平凡；有的不平凡主要表现在名上，例如只身漂流黄河而壮烈牺牲的勇士；有的不平凡则主要表现在利上，例如腰缠亿贯的个体户；当然更有名利双全的不平凡，若干歌星笑星丑星便是活生生的例子；也还有一种"默默无闻"的不平凡，例如某些从事高度保密的国防科技工作的专家学者……但不管怎么说，不平凡者在社会人群中毕竟只是一个少数，社会上最大多数的还是平凡的人，被称为"芸芸众生"，或"庸常之辈"。

许多杂志自创刊以来，都竭诚地为平凡的读者服务，服务的内容之一，便是向他们报道些不平凡的人和不平凡的事，你看杂志的封面，差不多全是些演艺界的"大腕"在上头亮相，这说明社会上的这类不平凡者，从某种意义上说，全是芸芸众生和庸常之辈的共享物，其共享的程度越高，则名气便越大，一般来说，物质利益也便获取得比平凡者多上许多。众杂志一定会继续追求最不平凡的人和最不平凡的事，及时地供应平凡的读者，"社会共享"的"尤物"，自当继续频频亮相，而平凡的"追星一族"，必定会不断获得新的快乐。

但杂志编者的追劲求劲，却也绝非仅在一股道上奔飞，他们就想出个点子，要我来谈一谈凡人怎么活才既有益又有趣，这确实是个好点子，好比吃腻了生猛海鲜，该端出一盘清炒芹菜，来调剂调剂胃口。

凡人自有凡福。首先，凡人大多处于一种自然存在的状态。比如一个凡人去搭乘公共汽车，去商场购物，或去公园游玩，除非有特殊情况，一般来说，他必是松弛的，随便的，他本来就是一个人，有自己的面目，自己的性格，自己当时的心情，自己当时的目的，他用不着"做"，自己本是活生生的，干什么要专门去"做人"呢？

不平凡的人就不然了，或许他（她）自认为是平凡的，但众目睽睽之下，他（她）必须承受那不平凡的符号（如"首长"、"名流"、"明星"等等）赋予他们的不可逃避的让公众观赏品评的义务，他们的一举手一投足，一颦一笑，片言只语，都既可能使他们的不平凡升值也可能令他们的不平凡贬值，因而他们不得不在公众面前兢兢业业地"做人"。本是一个活人，有真实的自我，却必须依据社会公众指认的角色去扮演，"做"出一个"人"来，那自然会紧张，会感到很累，有时甚至会感到不耐烦，乃至感到完全失却了自我，当然大多数不平凡的人都逐渐练就了一种不平凡的应变能力，得以支撑住疲惫的心灵而在公众前焕发出应有的光彩，但因心理失衡而终于失态乃至变态的情况，也时有发生，于是便会有人站出来提醒他或她"还是要学会'做人'"。

凡人怎么活？我以为第一要义，便是应庆幸自己不必像不平凡的人那样去费心费力地"做人"，使自己那自然而然的生存状态，能保持得平稳而轻松。

当然凡人也面临"做人"的压力，我们中国的文化传统中，儒家的影响力最强，孔夫子创立又经孟夫子等发展的儒学，核心是一个"仁"字，你看这个字的构成：两个人为"仁"，也就是说人生在世的最高境界，不是落实在自己这一个人本身上，而必得落实在两个人以上的关系之协调上，也就是说，个人只是社会网络中的一个网结而已，比如读这篇文章的你，根据儒家的学说，你的价值需这样确定：你应是父母的孝子（或孝女），应是配偶的佳夫（或贤妻），应是子女的严父（或慈母），应是单位领导的好下属，应是邻里的好邻居……当然更应是国家的好国民，至于你自己本身怎么样，那很不要紧，只要上述社会网络中的他人都对你满意，你的"做人"就能得上高分了。

我们都是中国传统文化的产物，即使我们跳着脚地"反传统"，我们终究也还是在这个传统之中，所以学术界有"新儒学"一派，主张肯定儒家传统中个人与他人与群体与社会亲和的一面，但补充上提升个人自主意识确定个人的尊严、权利、价值的一面。我的想法是：作为一个凡人，当然要注重自身的修养，但我们从提升自己的身体素质到提升自己的文化、道德修养，都应并不是为了在他人面前"做人"，而是为获得"我就是一个人并且不愧在世为人"的内心愉悦。

1993.3

吃之外

西洋人到中国旅游，有被引去享受"满汉全席"的，据传那要吃整整三天，每天三大宴三小宴，光头席的细粥就有九种之多，一位西洋人万没想到一餐饭竟会摆出那么多的花样，竟至于临场因惊诧而发晕。所以有人说中国文化是"吃的文化"，确有一定道理。比如说我这个专栏题目，读者即可意会绝不是来谈吃经，但却用了三张嘴构成的一个"品"字；电视连续剧明明是用眼看用耳听的，我们赞好时偏说"有味道"；说一个作家作品不俗则誉之为"品位高"；这份《中国青年报》的编辑会说是向你贡献了"精神食粮"（吃的），你如看了还想看也许会说声"真吊胃口"（还是吃）；我们把一个人在社会上的处境常概括为"吃得开"或"吃不开"……人生与吃，联系得居然如此之紧，我们中国人啊！

前些时我到北欧瑞典、丹麦、挪威三国访问，那边的主人多次请我去他们的高级餐馆吃当地的大餐，餐馆的装潢不消说是雅致的，餐具更不消说或银闪闪或亮堂堂，餐桌上摆着古色古香的烛台，花瓶里插着芳馥的鲜花。但论到菜式，那么，老实说，实在单调而寡味。盘中或者只有两块白煮的鱼肉，或者仅一块煎过的牛排，旁边配些大豆泥或生菜叶，如此而已，但价钱却是昂贵的，可见他们的文化总体而言固然发达，在吃这一环上却落后我们甚远。有人说西洋文化是"性的文化"，他们身体语言丰富，男女见面或告别时常当众挨脸，影视中的床上镜头犹如"家常便饭"……或许那样概括真有些个道理，但对于我们中国人来说，像他们那样坦然地对待性，至少到目前为止就大多数人而言，还是"吃不消"。

西洋人的圣诞节已然过去，我们中国人的春节翩然将至，春节这一年一度的人生享受，以尽兴吃喝为其轴心已成传统。我丝毫没有以我们中国人的"吃文化"为羞的意思，今年春节，我们无妨吃得更精致些更痛快些。但借这个专栏，我也确实想与青年朋友们一块儿咂咂味儿——在吃之外，在消化道快感及其他官能性快感之外，我们还该具备哪些人生乐趣？

想起来也真是人生匆匆。倏忽又到了一个鸡年。"鸡鸣早看天"，人生如旅，年关如驿站，在吃吃喝喝玩玩乐乐的间隙中，我们应如在驿站中歇息的旅客，闻鸡望窗，窗外渐明的天光，该引出我们多少的感慨！不管前程是否一定似锦，更难预测能否准定一帆风顺，但我们歇息以后，总得再次抖擞精神，投入命运的搏击，想到这一点心怦怦然了吗？这便是人生最主要的况味。祝你鸡年有一个"好胃口"！

1993.1.2

入目礼

逢年过节总得买些礼品馈赠亲友，其实不仅我们"吃文化"的中国人常常提着大包小包的吃食往亲友家送，就是"性文化"的西洋人，比如圣诞节期间互赠礼品，也何尝是这些与弗洛伊德学说有关的东西，往往也还是包装得花花绿绿的巧克力糖果之类。不过有两样礼品，西洋人相对而言送得较多，而我们中国人相对而言却送得较少，一是鲜花二是书籍。

前些时在北欧，无论瑞典、丹麦还是挪威，虽时值寒冬，见他们花店每天总还是摆满了五颜六色形态各异的鲜花，有盆栽的也有切花，顾客不断，生意兴隆。在他们那里，去别人家做客时送花为最常态的举措，但切勿送假花，尤其塑料尼龙一类的制品，那会被认为是一种轻蔑乃至于侮辱，必得送鲜花才是，盆栽的或切花均可，当然品种和颜色上还有很多种讲究，需就时令、对象和目的而论。有人说时兴送花也正是"性文化"，因为凡花都是植物的生殖器，这当然是牵强附会，对之可以一笑。西洋人的送花风俗不一定要大张旗鼓地往我们中国引进，何况比如说即使像北京这样的大都会，供应市民鲜花的地方也很有限且价格昂贵，一般中国人就是想学也学不来。

但他们的时兴送书，我以为却大可效仿。当然书有各种各样，比如西方火车站一类地方往往设有一种专卖消遣读物的书店，那里面的书就不宜用来送礼，有的顾客干脆是上车前买一册下车后便顺手扔到站台上的垃圾桶中，只当是吃过一客冰激凌。他们当做礼品馈赠的书，一般都是印制得精美的经典名著或知识性读物。我前些时离开挪威时，奥斯陆大学的一位朋友就送了我一本四开精印的《蒙克》，蒙克是挪威世纪初的一位"表现主义"绘画大师，此书不仅有关于他的生平与评述，还插印了大量精美的蒙克作品，虽然搁到箱子里陡增重量，我还是一路经瑞典、丹麦将它喜滋滋地带回了北京。送吃的是"入口礼"或"入胃礼"，吃了消化了也就没有了，送书则是送"入目礼"，其实更是"入心礼"乃至"入魂礼"，有时友人送的一本好书几可伴随自己的一生。

这就必得说到人与书的关系，人生与文字的关系。这里所说的书主要不是指消遣消闲的书，所说的文字更不是指胡侃乱卜或仅博人一粲的文字，而指的是启迪人才智丰富人灵魂的书，指的是洁净而美丽的文字。我一位表姐曾跑来对我说："女儿长大成人了！"我问她何来此话，她说，见女儿读毕一册世界名著，正独自坐在床沿上呆呆地冥想……好书入魂，催人成熟，那是多么美丽的一幅人生图画啊！

1993 年 1 月 9 日

清点贺卡

　　想必年轻的朋友们今年又都得到不少的贺卡，如今的贺卡也真叫五花八门，从极民俗到极洋气的、极豪华到极简朴的、极小巧到极阔大的、极正统到极泼皮的……全有，很多人还得到从港、台和海外寄来的贺卡，有的贺卡还是寄卡人自制自绘的。更不消说每张贺卡上都有寄卡人写下的祝福语。贺卡收到后将它们陆续在屋子里摆开是一大乐事，节日过后将它们收敛成一厚摞更是一大快事。如今集邮热也发展到了集贺卡热，将每年所得贺卡积攒起来装一只大封套中，过些年再将它们一一抖出，铺陈、观览乃至悬挂展示，便不仅可以从中发现世态的变化、人情的迁移、文化的嬗递，也很可以悟出些人生的真谛。

　　一位女青年略带忧伤地对我说，她清点了今年所得的贺卡，有三位往昔逢年必寄贺卡的朋友，今年却不显芳踪。其中一位在海外留学，想想尚可宽宥，而另两位分明仍在同市，虽说大家都忙，她可是忙中偷闲地给他们寄过贺卡的，谁知这次投桃竟不报李，使她不禁怆然！

　　人生既如旅行，则亲近的同行者便是朋友，亲近有身近心也近者，亦有身虽不近或甚远而心却极贴近者，旅途中不能携手怎能携心并进，过年时一张贺卡往往便是心迹的明证。所以视为人生旅途中的同行者却忽然连贺年卡也不寄来一张，那心灵中的空缺，岂是随便可以充实的？难怪要惆怅，要忧伤，乃至要潸然泪下了。

　　我对这女青年说，毕竟你还年轻，对于友情，你只享受过得，才初次体味到失。

得固快乐,失固痛苦,但务须知道人生本具百味,只得不失之人生,虽伟人亦绝不可能。快乐也许是人生中怒放的花朵,而痛苦更可能催生出饱满的果实。人在一生中,将同许许多多的人建立这样那样的关系,但这诸多的关系必是不断变化的,如水之流动,如网络的重织,你现在遇到的,不过是别人对你感情的消褪。我虽不敢说自己的人生阅历有多么丰富,但我就遇上过昔日善待乃至恩施过的友人,在某种境况下不仅弃我还踩我踢我的事,对于这类的失,不仅不必惆怅,反应庆幸再不必浪费自己纯真的情感,并从中获得了永不会遗忘的人世教训,也可反衬出历久弥坚的真友情的金贵,从而发现真的人生旅伴究系何人。其实,就交友而言,以心交者,一世有一个两个至多三个,也便足矣。清理贺卡时我们会发现有人从此淡隐,却也可能发现有人自此趋前,其实都不必那么心动神摇。人生之旅前路漫漫,真旅伴又岂是年年一张贺卡便可证明的!

1992.1.30

一个好心情

自己馈赠自己的厚礼，莫过于一个好心情。

没有解决温饱和安全问题的人，姑且勿论。且说我们这些温饱和安全都有基本保障的凡人俗人，为什么往往不能具有一个好心情？

好心情的对立面，倒未必是痛苦或悲哀，人在生活中是既免不了痛苦也难躲开悲哀的；好心情的对立面是三个心灵怪物：贪欲、嫉妒与多疑，这三个怪物却是完全可以把它们从我们的心境中加以驱除的。

贪欲使人无论在什么样的情况下都难以产生稳定的好心情。一个人用合法手段赚到了十万块钱，却并不能产生一种自我肯定的快乐，只是急匆匆地又力图去赚几十万一百万，一旦终于赚到了，又顿觉索然，因为还没有赚到一千万几千万一个亿……这样，他的生活便面临着两种可能，一是因为贪欲而违反社会公认的"游戏规则"，从合法滑向非法，最后闹到个"金满箱，银满箱，转眼乞丐人皆谤"的地步；一是虽仍在合法的范畴内周旋，但总不能有一个松弛甜美的好心情，结果尽管腰缠万贯、富甲一方，其生活却如同枯枝败叶般晦暗乏味。

贪欲的情侣首先是嫉妒，其次是多疑。嫉妒心旺盛者，眼喷火，心冒烟，不能自我肯定，盲目攀比他人，倘终日浸泡其中，那人生滋味必定腥臭难闻，到头来就是有所成就，也终究意趣全无。多疑就更如苹果中的蛆虫了，好端端的一颗心，会被它蛀得七穿八孔。

人生无处不艰辛，人也无处不坎坷，人心无处不难测，人情无处不珍贵。对于我们凡俗之辈来说，能在温饱和安全之上，尽自己力，发自己光，取得一些实绩，造福他人，滋润自己，并大体上总保持着一个好心情，便可称成功，可谓幸福了！

什么是一个好心情？说"一个"，是指单纯，单纯时好心情的内核是什么？确实，那很难界定，但下列的这些阐释，都庶几近之：

——我把自己的能力发挥得挺不错的。尽管有许多人比我更成功，但没有必要去比较。因为我的人生是耕耘与收获，而非炫耀与妄想。

——我现在的境况当然大有改进的余地，我也有信心加以改进；但即使是保持现状，我亦问心无愧、怡然自得。与其说我希望生活美好，不如说我希望生活洁净，因为我深知人生不可能圆满，所以我把自己奋斗的"半径"定在力所能及的程度，而且不怕标志自己成功的"圆周"有些抖动与缺憾，人笑我处，我亦乐于自嘲。

——我总是乐于享受那些最容易得到然而又最容易被忽略和舍弃的乐趣，比如清晨去往空旷处迎接第一缕阳光，傍晚与家人在关闭的电视机前互猜谜语，用装皮鞋的废纸盒为小女儿制作一座童话中的宫殿，走进一家偶然路过的商店为自己挑选一件小而有趣用完就扔的商品……想到这世上许多的伟人大亨竟与这类人生乐趣无缘，便对他们生出一个淡淡的怜悯。

是的是的，人活一世，难得经常保有着一个好的心情！

1993.2.20

想看《阮玲玉》

中国人在柏林电影节上真有点"耀武扬威"的味道，今年大陆的《香魂女》和台湾的《喜宴》双获"金熊"，去年则有香港由张曼玉主演的《阮玲玉》夺得最佳女主角奖，这里且不去分享那荣耀与喜悦，只说说自己为什么特别想看香港关锦鹏执导的那部《阮玲玉》。

阮玲玉是 30 年代上海滩名噪一时的大明星，拍摄了许多著名的内容进步艺术亦属上乘的影片，如《女神》《三个摩登女性》《小玩意》等等，但正当她艺术上走向炉火纯青之时，却忽然自杀身亡，那自杀的原因，据她的遗言，则是"人言可畏"。所谓"人言"，想来无非三种，一为市井上沸沸扬扬的谣传，一为大众传媒（特别是"小报"）上不负责任的"内幕报道"，一为有头有脸有影响的社会性人物的苛酷评议。关于阮玲玉的"人言"，其内容似乎与政治、经济都无大关系，主要是涉及到她的私生活，她的个人情感，因而主要是一种道德角度的诽谤和个人尊严方面的伤害，她陷于那样的"人言"而感到痛苦，乃至于绝望，"畏"的结果，是一死了之。当然也有人说她那是一种反抗，就确是抗争吧，未免也太消极。

揣想阮玲玉当时所处的人文环境，虽然上海滩已是十里洋场、西风蔚然，但究竟大多数人心底的封建老传统仍然浓酽而锐利，"礼教"虽无宗教的外观，却比有外观的宗教更严厉更肃杀，阮玲玉虽身跃明星宝座，在中式"礼教"的屠刀面前依然是一弱女子，故而终在"人言"中香消玉殒。

　　前些天一个摩登少女来同我聊天，偶然间提起阮玲玉，提起她因"人言可畏"而服毒自杀，少女很感惊奇，说简直不能理解，因为："嗨，谁背后没人瞎说呢？谁又没在背后瞎说人呢？""找律师，花钱，跟那造谣诽谤的打官司不结了！""传你点子风流韵事，造你点子邪乎谣言，不更能提高你的知名度吗？还有专门找'托儿'来传'言'的哩！'人言'有什么可畏？'无人言'才可畏哩！所以你看如今有的影星，好戏没演多少，可闹腾出的传言动不动一大车——有的'人言'根本就是自己造出来的，那知名度全靠'人言'撑着哩！"说到最后，竟至于宣称："我今后的奋斗目标，就是要成为'人言'的对象！"

　　真是彼一时、此一时也！倘阮玲玉身处我们今天的人文环境之中，大概依然会对"人言"不快、不满、不忿，却不会去寻死吧？张曼玉在90年代来演阮玲玉，她是如何抽丝剥茧地展现出那一代名伶的心路历程，令今天的观众信服那自杀是合情合理的呢？我想看《阮玲玉》，实在已超出了审美的需求。

　　但今天的芸芸众生、凡夫俗子，究竟也还有个面对恶意"人言"的心理调适问题，那摩登少女的超常"旷达"也许不足为训，但"唾沫终究淹不死人"的信念，应可支撑我们的自信与自尊；认定自己选定的正路坚韧不拔地走下去，何畏他人一旁讥评或背后诋毁？或付之一笑，或还以轻蔑，或以牙还牙，或对簿公堂，"东风吹，战鼓擂，如今世界上谁怕谁？"倘《阮玲玉》公演，我们都该去看，掬一把同情泪后，要挺直腰身，不畏"人言"！

1993.3.13

你会"跳房子"吗？

到一位年轻的爸爸家去，发现他家到处堆放着花花绿绿的电动玩具，那家自然还有年轻的妈妈，她正坐在沙发上，陪搂在她怀中的小宝贝对着大彩电玩电子游戏机，而那小宝贝却扭着身子，不耐烦地喊："不好玩不好玩，一点儿都不好玩嘛！"

年轻的爸爸便叹息说："你看，凡是新奇的玩具，不管有多贵，我们都舍得给他买，可他总是新鲜不过三两天，就那么一扔，再不想玩了！"

我便问那已经快满7岁的小男孩："你玩过'跳房子'吗？你会'跳房子'吗？"他眨着大眼睛反问我："什么是'跳房子'呀？"

可是当我还是个小男孩的时候，我的同龄人，包括已经升到初中一年级的学生，不管男生女生，几乎没有人不玩"跳房子"，没有人不会"跳房子"的。

"跳房子"是一种什么玩具？电动的吗？哪儿有卖？贵不贵？

"跳房子"是一种有趣的游戏，完全不用花钱就能玩。那玩法很简单，就是在地面上画上一组方格子，一般是并列的三格、四格或五格，如果是泥土地，那就用瓦片在泥土上抠出线条来，如果是水泥地或别的硬而平的地面，那就用粉笔头画出线条来，画成的那组方格子就是一间连接一间的"房子"；玩的时候，用一块瓦片也行，一块小砖头也行，总之是有点分量而体积又不太大的物体，单腿跳着，把那物体从一间"房子"踢到另一间"房子"，一般是竖向前进，进到头则横向移到另一排"房子"，反方向踢回来，踢的时候如果那物体出了"房子"或压在线上，则算失败，换由另一位小朋友踢，谁连续踢下来不出错，谁算胜者。记得我从小学前就同邻居里的男孩、女孩玩"跳房子"，一直玩到初中一年级，直到快上初二时，才觉得那游戏太幼稚，转而玩别的了，但那时候每家一般都不止一个孩子，家长哪有那么多钱满足每一个孩子购买玩具的要求，加上商店里的儿童玩具品种也相当单调，电动玩具被认为是昂贵的"洋玩意儿"，也是观望时多购买的少。那时候的男孩女孩常常就那么样不花本钱或花很少的钱地戏耍，除了"跳房子"以外，像"拽包儿"、"跳猴皮筋儿""翻花儿"（用环状绳子套在双手手指上互相变换花样儿）……都是常玩的，在这些质朴的玩耍中，个人的主观能动性得以尽量发挥，想象力得以高度扩张，而且身心得到锻炼，又因为是两三个人以上的群嬉，也有利于从小形成"合群"的良好习性，并且也能在竞争性的游戏规则中提高上进心和应变力，所以，像我这一代人，回忆起童年时代"跳房子"一类的游戏来，不仅感到亲切有味，而且愿意如今的孩子们在拥有电动、电子或其他形形色色现代化玩具的同时，也能有一些质朴的游戏，特别是应当走出有地板、地毯、沙发、彩电和父母宠惯的居室，在露地里与邻居的小朋友们一同在新鲜的空气里群嬉。

我小的时候，时常自己制作玩具，比如我就曾用父母兄姐买鞋带回家弃置不用的鞋盒子拼装成演戏的舞台，又找些妈妈不心疼的碎布头，制成幕布，还用一些硬纸片剪成"剧中人"，给他们穿上一些纸衣服，画上眉眼，戴上粘着鸡毛的纸帽子，然后"幕启""幕落"，把那些纸人在"舞台"上挪来挪去，嘴中念念有词，即兴地演自己心中浮出的"戏"，比如一个好人抓住了一个坏人呀，一个小孩子不听话让坏人拐走了呀，他妈妈急得要命，终于又找回了他呀，一个人"砰"一枪打死了另一个人呀，一个人忽然变成了一只老虎呀，等等，真是非常地投入，玩得十分开心。上初中时我还用旧鞋盒作了一台幻灯机，只花很少的钱买了两块凸透镜，从玻璃店买了些人家实际上已经扔掉不要的碎玻璃，请人家用裁玻璃刀裁成些大体一样大的玻璃片儿，用墨笔在上头画些简单的画儿，用一只大手电筒照着，在家里的白粉墙上映出些幼稚的画面。那时候心里头真有说不出的高兴，请来看那"幻灯演出"的邻居小朋友们也都拍巴掌欢呼。

　　现在我已经 50 岁了，成了一个作家，我走上作家这条道路当然有着许多原因，但其中之一，恐怕就是我小时候比较喜欢自己作玩具来玩，比较喜欢发挥自己的想象力，比较喜欢同别的小朋友一起玩，养成了一种同别人交流感情的习惯，也在竞争性的游戏中锻炼了自己的反应力和灵敏度。所以，我一方面羡慕如今的小朋友有那么多电动、电子的玩具可以在舒适的家庭居室里玩，又有那么多游乐园一类的公共场所可以"享现成"地大玩特玩，另一方面却也希望如今的小朋友们哪怕是偶尔地也玩一玩"跳房子"一类的质朴游戏。

1993.1

小脚老太太跳绳

　　近来某市报纸上连续出现一位大学副教授在校园里摆摊卖馅饼的报道，后来又在该市电视台的节目中看到了那制作和售卖馅饼的场面，还有对该人的采访和评论，大意是此乃改革浪潮中的新花。诚然，从事第二职业曾被视为"不务正业"、方向问题乃至近乎违法，后来也只是不甚光彩的仅被"睁一只眼闭一只眼"所容忍的行径，现在则为政策所允许的正大光明的作为，而且从宣传报道的趋势上看，则率先从事第二职业者已有"带头吃螃蟹"的勇者光环，或许将成为一个新的阶段中的模范乃至英雄。这样的宣传使我们深切地感受到，我们的社会又面临一次牵动到每一个人的大转型。

　　社会的发展，不可能是一弯不拐的射线状趋势，转型往往是无可避免的，转型的轨迹，有时或许比转圈圆润，有时则可能如折线般突兀。转型中必有新闻，有新闻必有所报道，也是常情常态。但不知怎么搞的，我总想起 60 年代时候，有一天发现报纸上为了宣传当时党和政府关于开展群众性体育活动的号召，便立即有一条消息，是说某街道的小脚老太太们组织起来，天天跳绳。当时所产生的一种难以言喻的心理反应，不知怎么的竟一直潴留到了今天。又忽然想起 1977 年上映的一部影片叫做《青春》，那片子的主演便是如今已打入好莱坞的陈冲。片子里提及"四人帮"的倒台，却又充分地歌颂着"无产阶级文化大革命"，有着两次政治发展转型之间的特殊印迹，很有趣。记得片子里陈冲演的是一位耳朵失聪的"红卫兵"，她后来参军不干别的，偏干听觉必须灵敏的通讯兵，结局当然是有志者事竟成，青春灿烂辉煌。当时看完那片子心中的诧异，几与看到关于小脚老太太跳绳的报道相同。

宣传社会转型或人的美德，总不甘心于一般人的常例，而热衷于择极端的例子加以揄扬，我以为从社会心理学角度，或许可命名为"趋极心态"，需要强调教育改革反对师道尊严了么？便树起以一本日记批倒老师的小将，或大肆渲染一桩学生受老师尖刻批评便赌气自杀的个例，又或以勇交白卷者为盖世英豪……而到需要强调读书要紧科技重要时，便又不吝篇幅大力宣扬神童上大学、刊登出高考各科状元的大照片乃至把科学家的怪癖也当做至美的东西一再地加以描绘……

"趋极心态"支配下的宣传，或许就大多数人而言，出发点还是好的吧，但往往并不能与社会的转型很好地配套契合，甚而反会引出社会群体的心理疑惑和认知混乱，对良性的社会转型，搞不好还有帮倒忙的作用。

小脚老太太固然也需锻炼身体，但我以为即使真有跳绳者，也大可不必宣传！

1992.10.26

带刺的微笑

一位歌星在一篇文章里讲到，他在香港购物时，曾遭遇到商店服务小姐的"带刺微笑"。微笑，是因为店主要求她们以笑面促销，带刺，则是她们以为大陆"表叔"囊中羞涩，看得起买不起。殊不知那歌星出手阔绰，不但选购了高档领带，还将两千元港币只当做两百元港币一笑掷之。结果，自然是蔷薇花般的微笑都变作了无刺的芍药。

人的表情中，以微笑这一种最有深度。即使是所谓"浅浅的一笑"，也往往令承受者心中五味丛生。世上真该有一门唤作"微笑学"的学问。

"带刺的微笑"，是我们每个人如今在社会上经常遇到而且几乎无一能够幸免的人生礼遇。

一位女士就对我说，她曾在京城一家豪华的购物中心里相中了一件外套，便从开架售衣的架子上取下提着去付款，但当她递过两百元人民币去并等着人家找钱时，导购小姐和收款小姐便都微笑着向她指示那衣服上的价码签，她定睛再看，才知自己是少数了一个零，不得不红着脸讪讪地将那件外套挂回原处。她说事过这么多天，她心上还有摘取不净的毛刺，那刺，便从那两位小姐的微笑中而来。

"带刺的微笑"中的"刺"，多半是轻蔑，甚而是鄙夷，有时或许是怀疑，有时肯定是讥讪，但都并不说出道出，哼出吟出，静静的，只是那么对你微笑着，无一言而有百意，令你浑身不自在，而又莫可奈何。我问那位少数了一个圈儿的女士：那购物中心，你今后还去么？她想了想说：还去。因为那里毕竟还有一些她看准了圈儿便能够承担的可爱的商品。而且，她说："带刺的微笑，总比无花的蔷薇好啊！"诚然。我们没有道理要求社会上遇见的人都对我们报之以真诚的、热情的、温馨的微笑，在社会的人际交往中，虚伪说实在的是近乎绝对不能避免的东西，因而，不管怎么说，人与人在接触时、交往时，先哪怕是罩上去一个微笑，总比赤裸裸的冷漠、粗暴、凶狠、野蛮为好。我们以往乃至如今都习见了某些国营商店某些售货员那"无花的蔷薇"以及"家藏卫生球"，我们又偶尔还会从报纸的社会新闻版上看到诸如售货员动手打人、售票员故意用车门夹人之类的报道。就整个社会的平均水准而言，我们先要求人们在交往时特别是服务行业的人士在工作时，把微笑当做一个不能更移的前提，恐怕还是必要的。当然，我们会企盼那微笑中的"刺"逐渐减少。宁愿遇到"带刺的微笑"，而不愿碰上"无花的蔷薇"。此种心理，在现阶段应可给予一个无刺的微笑吧！

1992.11.1

品位问题

时下的青年杂志常登些读者自白，最近看到一位女青年在自白中说：她不喜欢俗的东西只醉心于雅的东西，因而她拒绝到卡拉OK中唱那些流行曲并且从不购买书摊上那些武侠言情的书籍，她只钟爱三毛的潇洒与理查德·克莱德曼的优美……

人们喜欢什么读什么听什么，只要不是嗜痂之癖，本来是悉听尊便、无足诧怪的事，喜欢俗文化的人和钟情雅文化的人在人格上是平等的。但是这里要问一声读者：您认为三毛写的那些书和理查德·克莱德曼的浪漫钢琴曲，是大体上属于雅文化还是属于俗文化呢？

前些时曾在京参加了一个同台湾作家的会见活动，台湾作家郭枫在会上发言说："琼瑶、三毛算什么作家？我从来不认为她们是作家，我走到哪儿都公开地这么说！"这话令当时在场的酒店服务小姐吃了一惊，以致给客人们斟茶时都几乎将茶水倒至杯外。我早同郭枫先生相识，知道他确实一直有持那样的观点，他还曾著文批判台湾文化中的"情、奇、轻、怪"现象，"情"即"言情"如琼瑶的小说，"奇"即以诸如"撒哈拉大沙漠"或与洋人热恋之类的奇诡之事取胜，如三毛之作；"轻"则指用一些轻飘飘的貌似含有深刻哲理其实不过肤浅的简陋的文字，印成薄薄一册，当中大量空白，以迷惑高中女学生一类青春发动期读者的东西，如席慕蓉等的散文，"怪"即搞些稀奇古怪谈神说鬼的货色。此类书籍流布到大陆的似较前三类稍少——也许我转述郭枫先生的观点稍有失准之处，但综合他的公开文章、发言及私下谈论，相信大体上不差。郭枫先生的观点至少在台湾及海外华人中绝非"孤掌"，而颇有共鸣之声。这里不想讨论郭枫先生观点的对错，钟爱琼瑶、三毛、席慕蓉者当然无妨继续乃至加倍钟爱，但知道一下这样一些你一向认为无可争议的雅体作品，原来却被一些有一定发言权的人定位于俗乃至于大俗，绝没有坏处。世上的事原就如此常常会聚讼纷纭。

　　至于克莱德曼的浪漫钢琴曲，那就几乎所有弄古典钢琴演奏和搞交响乐、室内乐的人士都会告诉你，那是地道的通俗乐曲，同那位女青年所鄙夷的卡拉 OK 歌厅中所演唱的流行曲，大体上是社会文化大树同一高度上的东西，所不同的仅是分叉时不在一个枝杈上罢了，克莱德曼在其演出方式上，诸如使用大体育馆，搞些激光变幻的魔术般花样，也说明其非大雅艺术。

　　实际上随着社会生活的多样化复杂化，所谓俗文化和雅文化已有相当宽阔厚重的重叠区，有时确实很难厘定一种文化现象的俗雅，但肯定是超俗的雅文化，确实是有的，并值得本文开头提及的那位女青年涉足。需知社会文化的大树，其高品位的所在，我们也许还不曾知晓哩，且莫忙自诩高雅哟！

1992.11.3

"砂洗绸" 和 "无光纸"

真是一个时期有一个时期的审美趣味，退回十多年，谁会认为用砂石洗磨绸子使其失却光亮，棉布染了色却又将其作旧使其褪色，会成为最时髦最抢手的"砂洗绸"和"水洗布"呢？用这类材料制成的衣衫裤裙，至少已热闹了两年，并尚不见落伍征兆。

前些时接到香港勤＋缘出版社所出版的拙著长篇小说《风过耳》，开本小小的，袖珍型，封面用纸是无光的，据说也是"砂磨"过。开头我只觉得别致而已，跟着便有懂行的朋友对我说："知道吗？这是一种最时髦的印造方式！"

真的吗？我还有点疑惑。前些年，甚至直到如今，我们出一本书，总认为出成大 32 开，才是一种高档的标志，而封面用塑料压膜带勒口，搞成所谓"软精装"，以为才算时髦。而据说如今香港、台湾乃至海外，非原有习见规格的小开本书籍，以及用无光纸印造封面，才算时髦。倘仍追求规格化的大 32 开，尤其是倘仍搞成亮光光的又尤其是用塑料压膜做成封面，则大半会被认为土气。

一本书的好坏，当然主要决定于内容，但正如"人要衣服马要鞍"，书的包装亦是要紧的。原来港版的《风过耳》采用了一种时下颇被视为高雅的装帧设计，我当然因此而高兴。

不过以我年入半百的境况，也很难在一切方面再热衷于时髦，因为如今的时髦越来越与我熟悉的一切惯处的一切飞离而去。前几年一些小伙子以剃"板刷"头而为时髦，使短短的头发不是顺应脑壳的轮廓线而是在上部成为一个四方形，我的惊讶感尚未消除殆尽，如今却又因巴塞罗那奥运会上一些运动员的影响，时兴上了剃得精光的大秃瓢，令我重新目瞪口呆。我这人自诩非保守之徒，穿衣也曾注重了一阵名牌，前些年到香港访问时也买了些鳄鱼恤稻草人衫之类的名牌货，现在也都还没有穿坏，但今年再穿时却有年轻人指着我的恤衫说："名牌倒还算名牌，只是这颜色早过时了！"我再看他身上穿的梦特娇 T 恤，却是一种我无法形容但绝难接受的蓝不蓝绿不绿翠不翠紫不紫的泛着荧光的怪颜色，他耐心地告诉我说："自然还是一种中间过渡色，只不过你买那衣服的时候大概只有几十种谱系，如今中间过渡色可有一二百种谱系了……"也不知他说的可真有根据。

个人的绝不追逐时髦，也许会被视为一种朴素的美德吧，但群体审美趣味的不断变异所形成的时髦浪潮，也许倒是刺激消费品生产不断更新换代的一种良性因素。据说"砂洗绸"的流行期已到了尾巴上，我有一件"砂洗绸"茄克衫，且抓紧穿以免毫无损坏而徒成"土里土气"的东西吧！

1992.11.4

夏利车与手提袋

不知道南京怎么样，反正北京近半年来已有许多家百货商场门口摆放了一辆血红的夏利牌小轿车，一般都还扎以红绸彩带。那自然是"有奖销售"中的头奖，很令人怦然心动。报纸上也曾报道某普通市民中奖获车的消息，还配有照片，可见那并非虚晃之招，而是真心实意地要进入商品经济的竞争机制，对推动商场的销售，显然有利。

也不知道南京怎么样，反正北京直到如今，绝大多数百货商场都还未实行顾客购物一律免费给予手提袋的服务方式。其实，依我想来，与其"不惜血本"地在小轿车乃至三居室住房这类重奖上想招数，不如实行凡顾客购买商品，一律免费给予印有商场徽号的手提袋的销售方式，我想，那促销的效益，也许比门口摆放夏利牌或高档些的如桑塔纳、奥迪小轿车更具诱惑力。

去过三次香港，逛过许多大百货公司和购物中心，也逛过许多小商店乃至"女人街"的小摊档，号称"购物天堂"的香港在促销上自然老早就有五花八门的名堂，但我却几乎没有一次遇上门口以小轿车招徕的"有奖销售"活动，想来他们必有另外的重奖高招，因为没有细加考察，所以不能妄加报道，但有一点我印象很深，就是他们那里所有的销售商显然早就形成了一种共识，便是一定要为购物的顾客免费提供手提袋，大一点的百货公司，比如位于铜锣湾的日资"崇光"、"三越"，他们的手提袋都制作得相当精美，当然，那手提袋有不同的规格，比较大件的商品，有质地较厚实尺寸较宽大的手提袋，一般的商品，有中等的手提袋，就是只买一件小而便宜的商品，他也给你一个哪怕薄一点儿小一点儿的手提袋，但那手提袋上有相同的色彩图案，有鲜明的公司徽号，顾客买到商品提着走时感到方便愉快，而公司其实也等于让众顾客为他们作了流动广告。香港一些小商店也都有印有自己店名店址的手提袋，就是到"女人街"的小摊档上买东西，他也总送你一个哪怕是最简单的塑料包装袋（香港人叫"胶袋"）。

　　遗憾的是直到如今的北京，很大的商场门口虽然可能摆放着夏利轿车在以重奖招客，到里面购买商品却并不免费提供手提袋，或者买服装和皮鞋时能给个手提袋和鞋匣，买一般百货和食品就不给；他们也准备得有一些印有商场名字的手提袋，但你得另外付钱才能提供给你，有时因为准备不足，那就你想付钱买一个也不能。不知南京情形是否不同？

　　愿意竞相以夏利车之类的重奖引诱顾客入门，却并不在方便每一位光顾者上下工夫，这里面是否有希图"立竿见影"的急功近利心理在起作用？这样或许会热闹一时，却恐怕难以有持久的吸引力。我相信，无论在哪个城市，倘有一家百货公司率先在门口竖起这样的告示："本店不拟为个别幸运儿提供小轿车一类重奖，却愿将设奖的资金，全部用于制作有本店标志的包装袋，每位在本商场购物的顾客，均可根据所购物品的状况，免费获得大、中、小尺寸不同的手提袋。敬请光临！"那吸引顾客的效应，必定不俗！没有愿意试一试的吗？

1992.11.22

丑媒婆可以休矣

每逢节庆日,无论南北东西,各地的游艺活动中,总有一种"跑旱船"的民俗表演,常常吸引着众多的观众。那表演的镜头,也常常出现在电视的荧屏之上。

"跑旱船"的表演,一般的程式,是总有身着"船体"的演员,表示正出嫁或已出嫁的小媳妇,在去婆家或回娘家的路上呈S形地趱行,"旱船"前后,则一般有扮成其丈夫或其他亲友的人,或摇动着木桨或挥动着马鞭,随之也呈S形地舞动,形成一列缤纷热烈的古装队伍。当然各地的"跑旱船"会因各地的习俗差异而有所不同,有的地方那"旱船"便一律变为"跑驴",小媳妇腰上穿的并非"船体"而是"驴身",但舞动的姿势,不知怎么倒都极为相似。

在"跑旱船"一类民俗表演中,常有丑媒婆形象的出现。我对那一扭一扭的丑媒婆,总是觉得刺目恶心,认为是一种糟粕,应予剔除,现坦诚说出己见,以期引起讨论。

首先媒婆这一行业,早已为时代所淘汰。旧时所谓"三姑六婆"中,媒婆数量最多,而作用最坏,其斑斑劣迹,有无数真实的事例和艺术作品为证。

其次是现在"跑旱船"一类表演中的媒婆形象,一般均为丑扮,脸上搽满白粉,在脸上还总要点上一个明显的"媒婆痣";头上的帽子(或发箍)和身上的袍裤均无美感而言外,手上还总要持一把扇子,一双脚还总得装成"三寸金莲"的样子,在游行中扭动得格外肉麻。

再,"跑旱船"一类表演中,不知何时定下的规矩,丑媒婆一般都派定中年以上的男子来扮演，不管怎样地化妆，那扮出的婆子总明挂着一副男相，以男身男相而现丑妇之形又故作小脚颠颠的丑态，兼以或频摇蒲扇，或竟频作吸食烟袋锅的姿态，令人望去实在反胃。说深一点，那是一种变态的展示，对于青少年尤其没有正面熏陶的作用，倒充满了负面的心理刺激。

或许有人会说：丑媒婆的形象，是以往社会中有过的一种社会人物的戏剧化造型，在"跑旱船"（还有踩高跷）一类民俗表演中出现，相沿已久，实不足怪，何必对之深恶痛绝？

现在要问：中国男人拖一条长辫子，和中国女人从小缠出一双"三寸金莲"，不都是几十年前还普遍存在的形象吗？为什么辛亥革命以后，要推行男人剪辫子、女人恢复天足？现在世界上还有一些外国人对当代中国缺乏了解，仍以为中国男人有拖条辫子、女人有缠成"三寸金莲"的，为什么我们对这种大误会一定会生气？那道理很简单，就是那男人的辫子和女人的小脚不仅不适应现代化的生活，而且显得颟顸、丑陋，除了极少数嗜痂成癖之徒，当代中国人是绝不会把那类陈迹当做美的事物来加以表现、进行欣赏的。

可是我们就一直还没有把"跑旱船"当中的丑媒婆一类的与男人长辫、女人小脚同样恶心的东西，毅然地淘汰掉！

我们的民俗学家、戏剧家、舞蹈家、美术家们，应当不仅重视对"跑旱船"一类民间自发性民俗表演的研究，还应当很好地对其引导，帮助众多的民间文艺爱好者对"跑旱船"、踩高跷一类的民俗表演项目调整其造型和配置，使其存精华而弃糟粕，给人们尤其是青少年以真正美的感受！

1993.1.27

"《笔会》在十版"

有一天接到上海《文汇报》,一共 13 张,而第三张的四版中有三版全系广告,我看《文汇报》总要看《笔会》副刊,先翻前八版都没有找到,最后发现有一提示:"《笔会》在十版",遂在广告的裹围中,终于找到了我要读的文艺副刊《笔会》。

这一现象,很引起了一位朋友的感慨。他电话中说,那天当他发现《笔会》竟"淹没"在广告中的第十版时,不禁有些伤感。

我却见怪不怪。亦并无怅惘之类的感受。社会进入市场经济,广告的增多乃至大摇大摆地登上报纸头版,是一种几乎无法避免其实也毋庸避免的事。在香港,如无重大的新闻,报纸头版除报头外完全是一个大广告的时候很多,我们在那里办的《大公报》和《文汇报》亦常常如此。在台湾,两份销量最大的报纸《联合报》和《中国时报》,现在每天都出 6 大张共 24 版。《联合报》的副刊("缤纷版")固定在第二十二版,《中国时报》的《人间副刊》固定在第十八版,而且与其相伴的往往是整版的广告,没有人觉得稀奇。

我那朋友对"《笔会》在十版"且被广告所"包围",不习惯乃至看不惯,有"沦落"之感,我想主要是出于两种心理因素。

一是把文学艺术的社会地位和社会功能看得过高过重,潜意识里总觉得文应用以"载道",或是一种攻取"阵地"的"武器",或是一种关于"名教"的"圭臬",因此放到十版乃至十版以后,总显得"不对劲儿"。其实比如像上海《文汇报》的《笔会》,

办得是很不错的，并未走一味消遣消闲的轻飘路子，而是常有引人深思、耐人寻味的严肃精美之作，但《笔会》毕竟是"笔会"而非"枪会"或"棍会"，因而，幽默灵动、清新隽永的薄荷味和橄榄味自然比较厚，而硝烟味和棒疮味自然比较淡或竟至于无，放在第十版或更后面，想看的人自然会找到去看，并获得一种"曲径通幽"的乐趣，不足为叹的。

另一种心理因素则是对广告的嫌厌。进入市场经济的报纸，靠发行量本身所得的销售价是不但不可能赢利，而且很可能印销得越多便越亏本，必须靠广告支撑，才能填补上亏空，并获得赢利的。嫌厌者往往不了解这一点。其实，即使是与你个人的生活实际离得最远的某种广告，你翻报纸时拿眼瞟一瞟也并没有什么坏处，它至少可以使你增加一些对社会和生活的了解，使你感受到整个社会除了政治和别的一些沉甸甸的东西以外，也还有更鲜活更细琐的存在。

当然，我也并不是主张报纸无限制地刊登广告，尤其没有主张我们大陆报纸以头版整版作商业广告的意思。我认为像《笔会》那样的文艺性副刊无妨往后面的版次上安排，但一定要保障其按时出现，而不能取消。"《笔会》在十版"，很好；"《笔会》因故暂停"，那就不好？！

1993.1.10

指 错

赠好友一册拙著《风过耳》，在扉页上照例写了"请指正"字样，他接过书时笑说："正还指它作什么呢？应当是请我指错啊！"这当然是一种揶揄。"指正"是"指出错而正之"的简缩语，今后我赠人书时总还要这样写。

但细想起来，我们的口语乃至书面文字中，这类足堪"指错"的例子，还真不少。有的常被人举出，如"救火"应是"灭火"（把已式微或熄灭的火救起来，岂不成了纵火行为？）；"养病"应是"养生抗病"（把病养起来岂不加重疾患？）；"打扫卫生"应是"打扫脏物"（卫生应是目的不应是被打扫的对象）……

除了上述常被举出的例子，我还想出不少。如我们常说"生气"，表示一种气恼的状态，但据中国传统医学，"精、气、神"乃人命之根，气宜生不宜泄，一件事令人愤怒，只应以"泄气"称之，怎么能反过来说"真让我生气"呢？现在气功十分流行，许多人一早就跑到公园绿地去，以八仙过海的招数在那里拼命地达到"生气"，那么，那些热爱气功的朋友大可不必那么孜孜汲汲地练功了，只要请一些人到他们跟前骂一骂辱一辱乃至动手推一推搡一搡，他们岂不就纷纷"生气"了？

再如"伤心"，是表示悲哀的语汇，但据中国传统医学，则认为喜、怒、忧、思、哀之中，心脏倒是与喜乐休戚相关的，"喜伤心"，是说突然的过度的快乐，使人狂笑，会使心脏猛烈跳动，因而有害，据此，"伤心"应是一个表示"过度快乐"的语汇才对。

其实我"指错"的，还都只是一些老黄历，如今外来语、方言以及一些不知怎么流行起来的语汇乃至词组短语，都大摇大摆地进入了普通话，尤其是进入了电视，像"挡不住的感觉"、"不要太潇洒"、"高素质的享受"、"够威够力"、"顶好了吗？"……

　　常有人著文呼吁"保持语言文字的纯洁性"，我很理解那心情，却不大同意那提法，因为语言如女子，"女大十八变"，最后必然会"失贞"，是不好限定它始终为一"处女"的。但我绝非主张放任语言文字的"淫乱"，这就需要语言文字学家像关心自己的女儿一样，细心调理，及时指导，使其正常地恋爱、婚配、养育子女，以丰富和发展我们的语言文字大家族。

1983.2.3

游者轻言爱

人是地行仙，人的梦，有时竟能圆，这是 1992 年冬天我从北欧瑞典、丹麦、挪威三国访问归京后的感慨。出访前，想到北欧，觉得十分地遥远。的确，你看那中央电视台每天播出《新闻联播》，总是先要呈现一个地球的模型，由小至大，不停地旋转，细看吧，那上面简直就看不出斯堪的纳维亚地区，可见那样的地方不仅远，而且偏，但是得到瑞典文学院的邀请，由斯堪的纳维亚航空公司提供一整套免费机票，我从北京越过蒙古、俄罗斯和东欧，飞抵丹麦哥本哈根，只不过用了 8 个小时，因为两地时差 7 小时，所以下飞机后恍惚只走了一个小时，世界确实真小，人不必如孙猴子那样翻筋斗，也就很快到了地球另一隅。我小时候就耽看安徒生童话，叶君健先生译的 16 册全集，通读之后，其中许多篇章还一看再看，如《海的女儿》，曾为之心动神摇，后来看到电视上有那丹麦的镜头，知道哥本哈根港湾有小人鱼的铜像，就有一个梦想：什么时候，我也能到她跟前，领略一下那以切肤的痛苦换取的为人的欣悦。没想到 1992 年冬天这个梦竟圆了。现在我的私人照相簿里，便有了这样的照片。

拍这张相片，用的是我带去的索尼"傻瓜"机，给我拍照的，是哥本哈根大学东亚系的一位副教授，他本来让我一直前进到那小人鱼的紧跟前，甚至建议我抚摸着那小人鱼的"尾脚"（铜像表现出小人鱼的鱼尾正在变成人的双脚但仍未变完），现出一个悲悯的表情，但我往前突进时，在被海浪吻舔着的礁石上滑了一跤（至今右小腿上还青痕未褪），结果我知难而止，副教授也频频向我致歉，于是我便坐在铜像一侧，他便极认真地为我拍下了这张照片，我以为拍得非常成功，至少对于我个人来说，不仅富有纪念价值，而且把我和小人鱼都拍得神气宛然，构图均衡，观之有味。

旅途中拍照，最怕别人拍自己时，不能精心构图，或者头上长树，要么恰好闭眼，回来冲印出来，好不遗憾。自己除了拍别人，最好拍些空镜头的风景照。我在瑞典拍古城岛街景，因为我特别钦佩瑞典人精心保护古典式城市风貌的努力，照片上对于我个人来说最值得回味的便是那古色古香的街灯，它传达出一种情调，令人思绪悠悠。

去北欧以前，查了地图，见那纬度差不多全在哈尔滨之上，所以作了与严寒周旋的思想准备，谁想到了那里，才发现因为有大西洋暖流的缘故，像奥斯陆、斯德哥尔摩那样的地方都并非严寒，哥本哈根更暖和一些，在街上行走，牛仔裤里头穿棉毛裤就行了，根本用不着毛线裤，我拍下了一张湖水里天鹅和野鸭游嬉的照片，以志此行；我在哥本哈根期间，就住在湖滨的一个家庭旅馆中，那旅馆便在这张相片右侧的楼房底层。整个哥本哈根，都像是童话中的境界。我也算是到童话里走了一遭。

现在回来了，只有相片证明我去过。我爱北欧吗？我想起1992年12月7日在瑞典文学院水晶灯大厅聆听诺贝尔文学奖得主沃尔科特受奖演说，他有一句话给我的印象特深，他说游人不可轻言爱，因为爱意味着留下；因此我不轻言爱北欧，但我要说我非常非常喜欢北欧，喜欢那童话般的情调。我将永远珍存北欧拍回的相片。

1993.1.9

巨无霸

美国的快餐进军中国，首推肯德基家乡鸡。早在几年前，该炸鸡店就占据了北京天安门广场南侧，与毛主席纪念堂相邻的最佳位置，并使该店铺成为星罗棋布于全球数千家肯德基家乡鸡连锁店中最大的一家。它一开张便生意兴隆，近两年又用所赚的钱在北京另外几处地方开了三家分号。

我几年前去过美国，深感所谓美国文化，几可用高速公路＋加油站＋汽车旅馆＋快餐店来概括，因为这4种东西实在是在美国所见最多的事物，而且同几乎每一个美国人都有着难分难舍的关系。而快餐店中，那时我就感到最大的一个字号是麦克唐纳或译作麦当劳快餐店，它的标志，便是一个巨大的黄色M，即麦当劳的头一个字母。肯德基炸鸡店与麦当劳快餐店相比，似乎在数目和影响上都还略逊一筹。

但麦当劳迟迟没有在北京开店。据说那原因之一，便是肯德基炸鸡店占据了一个最优越的位置，麦当劳不甘心打进北京后屈居一逊色的地段，故而久为犹豫，但麦当劳更是几乎世界上任何地方都有其连锁店的大字号，煌煌中国堂堂北京而无其一间门面，终归还是丢脸，它怎容得肯德基家乡鸡在北京一枝独秀？

最近麦当劳终于在北京开店了，地点呢，是在北京最繁华的王府井大街的南口，也在长安街边上，面对着有名的北京饭店的东侧，可谓雄踞于北京闹市区的精华地段，而店堂也建造装潢得与前门的肯德基炸鸡店不相伯仲，甚或更为豪华，据说开张当天，便生意火爆到出乎意料的地步，尤其是一班年轻的红男绿女，争先恐后地跑进去大快朵颐。

麦当劳发售的快餐，没有炸鸡，而主要是汉堡包，其中最堂皇的一种汉堡包，分为两层，其间夹有牛肉饼、吉司、生菜叶及多种调料，称作"巨无霸"，很有点"食之壮哉"的意味，极受小伙子们的青睐。

我在美国独自旅游时，说雅点是为了快捷便当，说白了是因为囊中羞涩，因而常到麦当劳快餐店"解决问题"，一个月下来，便感到那工业化生产的快餐食品，过分地规格化一体化，吃来吃去不过那么几种乃至最后化为一种味道，而且心理上有一种被某种隐形权威控制着的感觉，以至到一个月以后，每当我接近麦当劳快餐店，鼻子里一吸入那主要由热咖啡和炸薯条的气味构成又混合着黄油和牛肉饼味道的公式化气息时，便忍不住有一种作呕的感觉。

但对麦当劳快餐店在北京的开张及旗开得胜，我还是高兴的。这对于丰富北京人的生活，毕竟又相当于开放了一朵新鲜有趣的美国石竹花。当然也有朋友对我忧心忡忡地说，你看，不仅肯德基家乡鸡店、麦当劳快餐店闯进来了，连所谓美国加州牛肉面，北京如今也有了好多家，还有什么法国的美尼姆斯快餐店、加拿大的邦尼炸鸡店、香港的123快餐店，等等，这样下去，还得了吗？我便对他说：有什么不得了？现在美国、西欧，乃至澳大利亚、新西兰，还有北欧，当然还有日本，中国餐馆越开越多，例如华盛顿中国餐馆在所有餐馆中的比例，恐怕就大大高于美国快餐店在北京餐馆中的比例，但那些西洋人、东洋人，似乎在津津有味地品尝北京烤鸭、天津包子、广东铁板烧、四川麻婆豆腐……时，都并不存在被我们"赤化"或"华化"的忧思顾虑，我们又何必担心巨无霸之类的美式快餐，把我们腐蚀掉呢？

说到头，世界上无论哪个民族哪个地方发明的饮食菜肴，都是人类共同的文明财富，理应供各民族各地方的人共享，此理还可类推，不是吗？

1992.6.28

难 喻

即使是你的至亲好友，也弄不清你从事的技术工作究竟是怎么一回事儿，他们有时便忍不住这样问你：打个比方好吗？你干的，好比什么呢？

你很愿满足他们的要求，有时也努力地提供一两个比喻，但提出那比喻比不提更糟糕，因为在他们"啊！"的一声表示领悟了后，所说出的那些话使你深感他们实在是被那不恰当的比喻引向了深深的误解，排除那误解比正面说明你的专业更加困难，更不可比喻，你只好哑然失笑。

是的，当代科学技术的发展，使分工已经细致到一般人难以理喻的程度，一个科技人员所从事的某种具体专业，倘非与一般世人的日常生活和日常见闻有直接的联系，那就实在难以向一般世人解说清楚，充其量只好大而言之地说一下自己那专业所隶属的大概念，比如"我是搞遗传工程的"，"我是研究超导现象的"，再细说自己所专门从事的那一项目，则就困难了，人家要你比喻，而越是精微的科学技术越忌讳比喻，比喻是一种文学性的修饰手段，其弱点就是模糊两个事物之间的差异而求得一种审美通感，你所从事的科学技术，却要求把两个即使是非常非常接近的事物之间的极其极其微小的差异寻找出来，因而严格来说，是不可比喻的。

记得"文革"当中，有一部歌颂"教育革命"的电影，里面把一位老教授讲授"马尾巴的功能"，当做一个最大的噱头，当时的观众看了都哈哈大笑，影片确实起到了批判讽刺那位教授"脱离实际"的作用。那部电影为了完成预定的政治宣传作用，把老教授关于"马尾巴功能"的讲授安放在一个只需要解决实地耕作问题的低文化层面之中，又让那扮演老教授的演员故意地出尽洋相，嘴里拌蒜般地讲不出个名堂，只会徒然重复一两句空洞可笑的话语，因而就那特定的规定情境和特定的人物形象而言，"马尾巴功能"作为一个课题诚然是可笑的，就是在今天，倘若有一位小学教师在课堂上煞有介事地给小学生们讲微电子技术中的一个问题，或者有一位科学工作者在抗洪前线向整装待发的抗洪大军讲冲浪运动的物理学依据，那当然也都会引人发噱。然而倘若不是搁错了地方搞错了对象，那么，"马尾巴的功能"之类的问题，是完全可以构成科学问题所研究、所探讨的对象的，至少在仿生学这一领域里，就有若干乍听比"马尾巴的功能"更"荒唐"的研究课题，最后开发出了相当艳丽的科研成果，有的已渗入到了我们的日常生活之中，推动了社会文明的发展。

　　尊重科技工作者，有很重要的一条就是绝不能以自己的知识水平和文化素养为前提去揣测他们。比如说倘若你是一个只具有高中文化程度的行政领导人，你或许会一时兴起，为了"杀一杀"科技人员的"臭威风"，忽然把他们召集起来，一人发一张开列着中学数、理、化试题的考卷，勒令他们在规定的时间完卷，然后你就请人判分，你就会发现有一大半人考不及格，你就哈哈大笑，你就认为这有益于敦促那些科学技术人员谦逊谨慎、深入实际、服从指挥。其实，这只能说明是你自己不能对当今世界上文化结构和知识分子构成以及教育科学等等方面有一种澄澈通达的认知。初等和中等教育的意义之一不在于使受教育者永远记得他们学过的每一项知识，尤其不在于使他们永远能迅捷地解答那些习题，而在于使他们在一种综合性的知识熏陶中获得灵智的启迪，为以后的创造力爆发形成一种积淀。真正杰出的科技人员绝不是万金油，他的杰出性也许恰在于他的单一性，而非普及性，甚至于恰在于他的纯理论性，而非具体实践，我们都知道，德国游泳世界冠军的教练员本人并不会游泳，而他那体育科研和训练技术的水平堪称超一流，便是一个明证，难道我们应该把他硬推到水里，看见他那可笑的瞎扑腾的模样便开心地大笑，然后便宣布他"脱离实际"，将他轰出门外吗？

　　确实，在科学技术的领域里我们很难运用比喻。然而有一种尊重感应该永远萦回在我们心中：他们那样认真，那般执著，他们总有他们的道理！

1992.7.26

瞬　间

常有人戳着你的后背议论："他整天究竟在搞些什么？怎么总不见搞出个名堂？"

确实，你作为一个科技人员，并不能像车间的工人那样，每天都可以推出新的劳动成果，并且不可能将每一个成果都转化为非常具体的统计数字。

倘是从事应用技术这一行的，那出成果或许还快些，倘是搞技术科研，那出成果的速度一般就要慢一些，而倘是搞非应用技术的科研，或竟是搞纯基础理论科研的，那也许出成果所需的时间就要更长，甚而至于需要漫长到终其一生。

科学技术上的突破，常常是经过千百次乃至千万次科学试验，而终于在一瞬间里呈现。

那真是辉煌的一瞬。

有的人获得诺贝尔物理学奖、生物学奖、医学奖……或其他的科学奖，说穿了，就是他或她有了那经过千百番寻求、积累、思虑、实验……失败了再来、走弯了再折回、接近了而愈精诚、为人误会而不置……终于获得的一瞬，没有那一瞬便没有他们的至高荣誉和至上幸福，然而，他们的成功，又难道能只归结为那一瞬吗？

一瞬，原意为一眨眼的时间，类似于一刹那，刹那是梵文 Ksana 的音译，据说一弹指即有 60 刹那，而一念中有 90 刹那，一刹那中又有 900 生灭，就以 $1 / 900$ 的一生灭为论吧，其实，那工夫也远比物理试验中的回旋加速器里最后的某一新的基本粒子出现又消失的时间长了许多许多，但就在那某一新的基本粒子出现时，观察记录分析研究它的科学家也许便关键性地拓展了我们人类对于微观世界的认识，那影响将涉及到一切方面，甚至会一直波及到哲学上的革命。

"养兵千日，用兵一时"，在科学研究的领域里，千日（不过 3 年左右）往往还不足以成事，而一旦成事，却又往往未必需要"一时"，也许一瞬间一刹那一生灭或者比那更微细的时间单位里，便构成了一种灿烂辉煌的文明成果。

从这个意义上说，对科学技术，对科技人员，要有"养"的耐性。

一个搞新产品开发设计的科技人员，经过一番细致周密的调查研究和反复多次的试验后，关起门来开始了他的案头工作，这时就有缺乏耐性的领导人员来找他，说不是为了催逼他，而是来看看搞得怎么样了，想问问还有什么困难，还想提出什么要求……

那科技人员便不由得一跺脚说："别来打扰我好不好？！我这人有个习惯，就是要闭门造车，等我的车造出来了，自然主动找你们来看，你们让我关起门来独闷几天，行不行？！"

那领导人只好走开了。但心里很是纳闷：这不是好心当做驴肝肺么？

科研工作进行到关键阶段，反不需交流展示，需要独闷一室寻求最终突破，这是科技人员很普遍的一种心理需求，务请理解、尊重！

那搞新产品开发设计的科技人员终于走出了独闷多日的屋子，向领导和大家展示解说了他的最终方案——在一瞬间里，人们顿然感受到了扑面的春风、明媚的前景！

是的，你常常为了那耀眼的一瞬，进行着有时是极其单调乏味而又令他人难以理解的工作，你的身影在日渐单薄，佝偻，不知不觉中你头顶秃了，皱纹密了，牙齿掉了，眼睛花了……然而，人类文明将记载下你们所奉献出的每一个璀璨的瞬间，而在那样的瞬间里，你们的青春永驻，仿佛永不凋谢的芬芳馥郁的红玫瑰！

1992.9.13

失稿记怅

10 年前的一天，突然接到天津《八小时以外》一位编辑的电话，听到那声音我很惊讶，因为我们分别并不久，我将他们约写的一篇《一支笔，一叠纸，这还不够……》交给了他，他带走时也将有关事宜都与我说妥，而未料到他刚走没几个钟头便打来电话——原来他不幸在火车上将整个旅行包都丢了，里面不仅有我的稿子，还有编辑部的价值数千元的照相机……

这是我头一回丢失文稿。但我并不怎样痛惜，因为那不过是一篇两千字左右的随笔，对比于那位编辑和他们编辑部的损失，我的损失实在微不足道，他在那边连连向我道歉，我诚心诚意地告诉他不要紧，我说我马上就重写一遍那篇文章给他们寄去；我问他还有没有可能找到那只装有照相机的旅行包，他说实在没有什么希望——因为是窃贼窃走了！

我那晚又重写了一遍那篇文章，好在文气尚在腹中未断根，尚可以将其鼓起来顺笔而下，第二天一早我便给他寄去了。

但 7 年前接到江西南昌《百花洲》双月刊的电话时，我却如刀戳心，痛不欲寐——整整失眠了一夜，不断自问也遥问：怎么搞的呢？真有这等事？

《百花洲》那一期的稿子下厂时，是一位年轻的编辑将整期合成稿夹在自行车后座送往印刷厂，据说其间的距离并不远，但当他到达印刷厂后，一扭头要取下文稿时，发现后座已空空如也！当然立即惶急地扭头沿来路去寻找，查问，竟全无踪影！

只好回到编辑部报告，众人大惊，一方面出动多人像篦头发般再顺那条路线去寻觅，甚至进到沿途许多人家打听，一方面与电视台、广播电台联系，当晚便播出了寻稿启事，并应允捡拾归还者有奖励，但到第二天、第三天，仍毫无信息反馈，毫无线索可寻，不得已，只好按存档目录同各位作者联系，一方面深致歉疚，一方面恳请将各自存底再寄他们汇总重编重发。

我与《百花洲》诸编辑相处得一贯融洽，也早想向他们提供一篇力作，那回寄去他们编入该期拟发的是我一篇 5 万字的《地球村的邻居们》，以小说的技法，写了五六个外国人的故事，所写的人物都是我出访罗马尼亚、日本、法国和当时西德所交往的各界人士，那是我在写成《5·19 长镜头》《公共汽车咏叹调》以前所作的"纪实小说"的最早尝试，一气呵成，文气颇畅，其中有的段落，如写日本女郎林美由子从在中国狂热地卷入"红卫兵"运动，到变为东京典型的自由主义白领的变化，至少在当时来说，对于读者该是相当有趣的。但那 5 万字的劳作，竟失于一旦！

我那《地球村的邻居们》未留底稿，《百花洲》的朋友们听了更觉歉疚，我自己则痛惜不已，而最难过的是，我怎么也提不起重写那篇作品的兴致了，直到今天，也只有这样一个题目而再没有下面的一行文字。

上个月末又突然接到《收获》杂志的电话，说我 10 天前用"特快专递"寄去的改好的 4 万字中篇《小墩子》一直没有收到，他们等着发稿，真急煞人也！我一听这话顿时浑身冒汗，难道是《地球村的邻居们》重新上演！忙不迭地坐了 6 站电车跑到邮局专管 EMS 业务的窗口查询，那女营业员递我一张查询单并要我交一块五毛钱查询费，我问多长时间能查出来，她说那没准儿，也许得两个月。乖乖！我那《小墩子》寄出前也曾想拷贝一遍，但因为迷信 EMS 即"特快专递"的便捷可靠，所以又是只有"独一份儿"，倘丢失便丢绝了！惶急中我又去找服务台的营业员申述，请教他如何才能查明下落，他未及答言，则有一女士比我更惶急地去问他：英国方面 10 天前用"特快专递"给她寄来赴伦敦的机票，明天一大早的航班，可她却直到今天上午仍未收到！看来处于不幸境地的并非我一人，但亦不能心安，我回到家中，便想方设法把电话打到邮政总局，总局有关部门一位女士听了我的倾诉后甚为同情，答应全力帮我查清下落，这样，两天后总算"水落石出"——稿子并没有丢，只是没有送达《收获》编辑部，我和编辑部都松了一口气，后来编辑部立即去人从上海邮政总局取回了那份"特快专递"。这件事不算"失稿"而是"失而复得"，但我亦有怅然之感。

1992.9.12

想喝碧粳粥

粥可以是最贱最下等的果腹之物，如旧社会寺庙等慈善机构或想积德求报的阔人所设的粥棚、粥厂的大锅粗粥。

粥又可以是最精致最上等的美食，如《红楼梦》里写到宁国府里死了秦可卿，她的婆婆尤氏偏在她死的时候"正犯了胃疼旧疾，躺在床上"因而不能出来操办丧事，于是她的公公贾珍便把堂弟媳妇王熙凤从荣国府请到宁国府来主持丧政，那凤姐儿不仅权到令行，对下人大施淫威，还八面玲珑，在大嫂跟前卖好到底，她"因见尤氏犯病，贾珍又过于悲哀，不大进饮食，自己每日从那府中熬了各样细粥，精致小菜，命人送来劝食"。

"各样细粥"，可见不仅品种繁多，而且制作手续相当繁琐；而佐粥的小菜，想必不仅是色色精细，一定还有哪种粥配食哪种小菜的讲究。凤姐儿送给贾珍尤氏的细粥小菜，其价值当不在宴请刘姥姥时所上的茄鲞之下，而且更是一种能将消褪的食欲重新勾出的绝妙美食。

曹雪芹写《红楼梦》，有人说其实是不断地写吃饭，写完上顿写下顿，写完大宴写小宴，写完正餐写宵夜，写完主食写零食，一直写到"脂粉香娃割腥啖膻"，其间确实显示出他对中国饮食文化的知识达到几乎无所不知无所不晓的地步，而下笔时又几乎无所不能描摹无所不能发挥，令人钦佩，令人叫绝。

《红楼梦》里多次具体地写到汤、粥，以至已故的红学家俞平伯先生专门为此撰写过"宝玉为什么尽喝稀的?"(见《读〈红楼梦〉随笔》),他举第八回为例,那一回写到贾宝玉到梨香院中探望薛宝钗,后来林黛玉也去了,贾宝玉在那里先用了几样"细茶果",又就着糟鹅掌鸭信喝了三杯酒,这之后,又痛喝了两碗酸笋鸡皮汤,最后吃了半碗碧粳粥,饭毕,竟又吃了酽酽沏上的茶,方才告辞回去。

我读这一回文字时,无论是糟鹅掌鸭信还是酸笋鸡皮汤,都还并不怎样羡慕,唯独碧粳粥,读时不禁津液绵绵,十分向往。

《红楼梦》中第六十二回里写到戏班子解散后分配到怡红院宝玉房中的芳官,让厨房柳家的给她备一份饭来,柳家的遣人送来一个饭盒,揭开一看,里面是一碗虾丸鸡皮汤,一碗酒酿清蒸鸭子,一碟腌的胭脂鹅脯,还有一碟 4 个奶油松瓤卷酥,并一大碗热腾腾碧荧荧蒸的绿畦香稻粳米饭。这只不过是三四等丫头的食谱,然而与第八回里薛姨妈招待贾宝玉的菜式几无差别。芳官还说"油腻腻的,谁吃这些东西!"末了只将汤泡饭吃下一碗,拣了两块腌鹅就不吃了。宝玉也确实爱喝稀的,他闻着,倒觉比往常之味有胜些似的,遂吃了一个卷酥,又命小丫头给他拨了半碗饭,泡汤一吃,十分香甜可口。那碧荧荧的绿畦香稻粳米饭用汤一泡,不也就成为稀粥了么?而且是鸡汤稀粥,想来现在上海仍存的名店"小绍兴鸡粥店"的鸡粥,其滋味庶几近之吧?

曹雪芹之精于中国饮食文化,有其家学渊源,他的祖父曹寅不仅累官通政使、江宁织造、兼理盐课,是个得到清康熙帝宠信的大官僚,而且也是一个有声威的文化人,他主持了《全唐诗》的编镌,自己又有《楝亭诗钞》8 卷,《诗钞别集》4 卷,《文钞》《词钞》《词钞别集》各一卷,此外还编镌前人冷门著作,其中有《居常饮馔录》一卷,内中包括宋人的《糖霜谱》《粥品》及《粉面品》,元人的《泉史》《制脯鲜法》,明人的《酿录》《茗笺》《蔬香谱》《制蔬品法》。《粥品》一书系宋署名"东溪遁叟"的人所著,可惜现在难以找到,不得一读。想必曹雪芹是读过或至少听长辈讲过并至少部分地煎制品尝过该书中所述的各类粥馔,因而他那关于凤姐儿"每日从那府中煎了各样细粥、精致小菜,命人送来劝食"的描写,绝非信笔而来。纸背后,是有着深厚的生活体验与饮食文化知识作依托的。

现在西式快餐在北京大行其道，美国的肯德基炸鸡店早占了天安门广场西南仅距毛主席纪念堂一箭之遥的黄金地段，整天飘散出橄榄油烹炸鸡肉的浓烈气息，门庭若市；而最近美国的麦当劳快餐店又在最繁华的王府井大街南口开张，卖汉堡包、炸薯条、苹果派，一时间红男绿女趋之若鹜；这两家美国快餐店都称他们在北京的上述店堂是遍布于世界上的数千家连锁店中最大的。此外，北京还有加拿大的邦尼炸鸡店，法国的美尼姆斯快餐店，香港的 123 快餐店，等等。西式快餐自有其某些优点；纵无更多的优点，进去领略领略异国风情亦颇有趣。但我总觉得中国人应闯出自己的快餐套路来，例如上面提到的芳官食谱，倘略作删减作为一道中式快餐推出，相信其形态色泽味道营养都绝不在上述西式快餐套餐之下，甚至还在其上；而其中最令人喜爱的，当是一碗用热鸡汤煮成的碧粳粥。

算来自己这辈子也喝过了不少的粥，无论是粗犷的棒糁儿粥还是精致的腊八粥，也无论是风格独特的粤式皮蛋瘦肉粥还是京味八宝莲子粥，包括鸡粥鱼粥虾粥蟹粥菜粥奶粥，总算起来都不如一碗素白的碧粳粥更诱人更可口更具魅力更足回味。又尤其是在旅行归家之际，在大病初愈之时，在辛苦劳作之后，在深夜临睡之前……

热腾腾，碧荧荧，香喷喷，滑腻腻，一粥到口，其乐融融！

1992.5 于绿叶居中

重叠那"黄"字

　　河南省的省会现在是郑州，并非有龙门石窟的洛阳，亦非铁塔犹存的开封，从景观上说，郑州不仅逊于洛阳、开封，甚至也逊于同省的安阳、信阳、南阳、三门峡等处。近两年大陆中央电视台插播率最高的商业广告之一，是"中原旅游哪里去？郑州亚细亚！"词语自属夸张。"亚细亚"是郑州市中心的一家民间自筹资金开办的百货商场，有玻璃幕墙的外观，内里有喷泉、滚梯，颇为洋气。但在广州、上海、北京等百货商场更早趋洋化的民众眼里，郑州"亚细亚"已无足观，更遑论海外游客，他们怎可能因郑州有一间只相当于香港中下规模且仍显土气的购物中心便趋之若鹜呢？为使郑州从无足观变为有所观，王仁民贡献出了他的壮年精血，在郑州西北30公里处的邙山、黄河和豫北平原交汇处，他与同仁们奋斗十多年，建立了一个黄河游览区，在遍植林木花卉的山岗上，造了古式观览亭，立了名为"哺育"的黄河母亲拥婴喂乳的雕像，以及大禹一手持铲一手微张的雕像，又购置了一艘气垫船，辟出了一片碑林……这一新风景区首先为郑州地区的民众带来了乐趣，也吸引了一些路过郑州转往洛阳、开封或登封少林寺的国内游客，但要想将香港、台湾的游客揽去，已属不易，东洋日本客亦难生兴趣，至于西洋北美澳洲那些金发碧眼的游客，他们来中国一为看万里长城，二为看西安兵马俑，三为看桂林山水，再让他们选景，杭州、苏州乃至西藏、新疆一定都排在前头，整个河南亦可能被忽略，又怎可能孜孜汲汲地要来这并非古迹亦难称佳境的郑州黄河游览区一游呢？

正是为此，王仁民发下一大宏愿：将黄河边上邙山的一整匹山岗，塑为炎、黄二帝的巨像！他的想法是：此二帝巨像一成，因其符号价值涵扩性极大，不仅国内民众当视为民族象征而蜂拥来朝，港澳地区、台湾乃至新、马、泰、菲以及全球各处的华人、华裔，也定当怦然心动而纷至沓来，就是东洋人和西洋人，也早晚会因其名声显著及体积庞伟而欲求一观。此事他离休前便风风火火地张罗推行。"退居二线"后仍踞此一爿阵地奋斗不已，大概是因为朝思暮想、精血丛聚的缘故吧，小×将资料取来派分给我们以后，明明资料上已有详尽文字，他仍一句接一句地滔滔讲述他的主张，40分钟仍无中止之意，令我这缺乏涵养的人颇觉喋喋难耐。资料上开列着他所拉起的庞大的筹建委员会名单，无数各界要人、闻人、强人、妙人跻身其中，或德高望重，或德缺权在，或人善言艳，或人威言沉，或腰缠万贯，或据财一方，或明星慑众，或名隐职实，总之充分显示出已年近70的王仁民的感召力与活动力。我们截断他的语言瀑布，问他那炎黄二帝的塑像何所依据，他便招呼另一青年："小×，你去把放模型的屋子打开！"这位小×却懒洋洋地对他说："我没带钥匙！"由此可见王仁民毕竟已经"林花谢了春红"！

所谓"三皇五帝"，属史前史，"三皇"有七种说法，"五帝"有四种说法，"炎黄"一词虽已成俗，实并不妥当，因传说中是先有轩辕氏即黄帝据中原，炎帝率部来扰，为他所败，他遂成为黄河流域的最大部落联盟领袖，故如名称，似应"黄炎"方恰。王仁民在谈及所遭遇到的反对和阻挠时说，中央一位负责少数民族事务的大干部当面责问过他，如此突出炎黄，把蚩尤置于何地？传说中黄帝败蚩尤于涿鹿，逼得蚩尤一族流落南方荒山野岭之中，今之彝族，便是其后裔之一，故而倘标榜中华民族，仅为炎黄二帝塑像而仍将蚩尤抹杀，搞不好还会引出民族间纷争！王仁民对此"节外生枝"深恶痛绝，他坚信以炎黄二帝象征全中华民族会获得各方认同，但直到如今，他们筹建委员会只征得海内外捐款约计数百万人民币之值，距即使是一再紧缩的预算，相差还极远。

王仁民以一民间组织带头身份，呕心沥血投入建造炎黄二帝巨像一事，毕竟令人感动，他那昂奋到逢人便口似悬河的精神状态，同他接触越久，便越可理解。说来也是，美国南达科他州皮拉德城附近的拉什莫尔峰国家纪念像(Mount Rushmore National Memorial)，即为利用 6000 英尺的山岩雕成的美国四位贡献卓绝的总统（华盛顿、杰佛逊、西奥多·罗斯福、林肯）像，1941 年 10 月才全部完工，距今不过半个世纪，但早已成为美国一大名胜。王仁民说："像炎黄二帝像建成以后，不仅会成为中国冒尖的名胜之一，而且，时间久了，也便是激动人心的古迹！"他的自信，不会没有道理。

我们乘气垫船游黄河时，大半船是台湾来的一个旅游团的游客，导游小姐除介绍黄河美景外，也兼为炎黄二帝的巨像动员捐款，她用充满激情的话语说："我们都是黄河的子孙，是炎黄的后代，我们面对着黄色的厚土，我们正在黄色的浪涛上飞行，而且，我们都是黄色的皮肤，是黄色的中华民族的成员……"她意在用无数次地重叠那"黄"字，引发出大家的认同感，谁知这时候台湾旅游团中有一位老先生扬起声音议论，很激动的样子，他重复了几遍，我才勉强听清，原来他是在说："……既然黄字那么重要，为什么要把廣字里的黄字去掉呢？先把这个做法改掉不行吗？……"

是的，大陆的简化字方案中，"廣"字已经"扫黄"成了"广"字。怎么办呢？要不要办呢？导游小姐只是微笑，不予回答，我却微笑不起来，但也真不知该怎么讨论这个问题。

1992.11.17

他信上帝

　　同许许多多中国俗人一样，我没有宗教信仰。也同许许多多中国俗人一样，没有宗教信仰却爱去参观庙堂，并且常常喜欢同庙堂里的神职人员搭话。我曾同朋友嘲笑过乡下老太婆，说她们逛佛寺拜弥陀，逛道观拜三清，进了风俗小神庙，便拜无论是美丽还是狰狞的风俗神祇，全然没有固定的宗教信仰，更没有异教和异教徒的概念。其实我自己与她们如果有差别的话，也无非是 50 步与 100 步的小距离。记得我前些年在法国参观过天主教教堂，在美国参观过基督教教堂，在罗马尼亚参观过东正教教堂，那管风琴的轰鸣，唱诗班的赞诗，彩色镶嵌玻璃玫瑰花形圆窗中斜射下的虹光，高耸的哥特式内尖拱撑起的穹窿发生的回响，更有那黑色的十字架和无数的摇曳着火舌的白烛，都勾起我心中一种莫名的感动与敬畏。但也就有真正的教徒向我指出，天主教（旧教）和基督教（新教）实在已是两种互相对立的宗教，东正教与它们又另是一路，它们是互为异教，教徒们也互视为异教徒的，我如真想感动与敬畏，那就必得从中作出一种抉择。我也曾参观过国内和国外的清真寺，感到伊斯兰教的教徒信仰似尤为坚定，但细一问，也就知道其中又分为若干种教派，有的教派之间，其不相容的程度亦是十分惊人的。

　　在我这样的没有宗教信仰的人眼中心中，那种虔诚的宗教徒是难以理解的。记得才 4～8 岁的时候，父母常带我到一位胡伯伯家里去做客。父亲和胡伯伯在 1949 年以前都是海关的一般职员，1949 年以后，都被留用。胡伯伯是一位很温和的人，胡伯母会煮一种很可口的腊肉蚕豆汤。记忆中，他家有好多小小的画册和画片，都画着些圣经故事，我拿起来翻看时，胡家大姐姐便坐到一旁耐心给我讲些耶稣基督的圣迹。到我10多岁的时候，有一天父亲回到家里来神色十分地紧张，压低声音对母亲说些难懂的话，里头不断地提到胡伯伯，还不断地摇头、叹气。自那以后父母再不带我到胡伯伯家里去了。后来再长大些，才知道胡伯伯当时被海关开除了。开除的原因，是他在美国的一份什么基督教的刊物上，发表了一篇不足一面的文章，文章自然是用英文写的，内容全然不涉及政治，也不涉及中美关系或什么国家机密，是讨论圣经中一句话的含意的，但这样投稿违反了当时的规定，找他谈话，他又并不推诿为同名同姓或别人假托，而直供不讳。警告他再不能往外私寄稿件，他答应不再寄，但亦不认为自己作为一个教徒参与本教派的教义讨论有什么不对。他被开除后，全家靠变卖家当支撑了一段，后来靠胡伯母在家里加工一些桌布上的绣饰糊口，再后来算是能领取到一些零星的翻译活计，不在家里吃闲饭了。父亲和母亲虽自胡伯伯被开除后再不带我去他家，他们自己却都是悄然去过的，听他们互相摆谈，知道胡伯伯胡伯母对上帝的信仰居然一点未变，他们感谢老朋友的关怀，但绝不接受一分钱的救济。胡家大姐姐自然没上成大学，甚至没上成高中，早就自立了，她是否笃信上帝，不得而知。"文化大革命"当中，有一天我骑自行车路过一条胡同，在一个破旧的院门外，一群"红卫兵"正在批斗一对暮年的夫妇，我一眼望去只觉得面熟，但不忍多看，亦不敢下车。那一瞥之中，心灵中匆然唤出，胡伯伯！胡伯母！当时正值溽暑，"红卫兵"一定是从垃圾桶中捡来了两个从中剖开剜掉瓜肉的瓜皮，扣到了那一对暮年夫妇的头上，剩余的瓜汁流淌在他们脸上，如鲜血淋漓，但他们的表情却平静而至于庄严，眼里闪烁着只有怀着最坚定的宗教信仰才能发出的无畏而又宽宥的光芒。"文化大革命"结束后我去那里寻觅过他们，邻居们说确有胡氏夫妇在院内住过，但几年前搬走了，搬往何处？不知道。我相信他们如无生理病变当仍健在，因为他们的生命有一种令我等俗人不解的坚定宗教信仰所支撑。

像胡家大姐姐那一辈的人，想在固有的人文环境中维系她父母那样的宗教信仰，不仅困难，亦会渐渐向无神论认同。我有一位中学同学，其父是基督教的牧师，他自小受家庭熏陶，其宗教虔诚度自然非常之高。记得初中上生物课，生物老师讲从猿到人的进化史，他听了后便很认真地跑拢讲台去同老师辩论，质问老师说：人是上帝造的，先造亚当后造夏娃……人怎会是猿猴变的呢？……但几年以后，他便同父亲划清了界限，成为了一个认真努力要求加入共产主义青年团的青年。1957 年他父亲在"反右"斗争中不是定为了"右派"而是定为了"坏分子"，送往农场劳动教养，具体的劳动项目是烧锅炉，结果他烧得极好，人又谦和，连劳教干部私下里也不禁这样说："原以为坏分子都是奸淫抢掠一类，没想到还有你这样的……"他之被判定为"坏"，据说是因为有中小学生在问他人是猿变的还是上帝造的时，他总是耐心地告诉他们人是上帝造出来的（有好几年他主持的教堂就在一所学校之内）。后来他劳动期满，农场通知他儿子即我那中学同学——当时已经参加工作——去接他回家，而他儿子却加以了拒绝，理由是："我好不容易才同他划清界限，组织上和同事们才认定我是真心要求进步，我怎么能把他接到一个屋顶下去生活呢？"这样他就只好仍留在农场烧锅炉，一直烧到 1978 年，才算给平了反，安排了住房，迁回了城里，他儿子也才认了他，我陪着去的，当时他儿子跟他道了对不起，说那时候实在是真想进步，以为那样做是对的，希望他原谅……他微笑着爽快地原谅了。后来我私下里问他："您受了那么大的苦，却挺了过来，又那么能原谅人，您靠的是什么呢？"他挺直腰板，双眼直视正上方，郑重地用一种厚实的嗓音伴以胸腔共鸣音回答我说："我信上帝！"

我却没有自己的上帝，我发现许许多多的中国人都没有。但我们也都并非坚定的无神论者。如今中国大陆最多的宗教建筑是佛寺，"文革"中破坏掉的几乎都予恢复，香火极盛，我也曾拜谒过多座，目睹到佩戴肩章的壮年男子跪拜佛像的情景，自己心中也丝毫不敢有亵渎之念，但冷静一想，真正进入宗教信仰状态的，即使寺里的僧人，也未必很多，大体上只是一种祈福求佑的朦胧心理，与那郑重宣布"我信上帝"的人相比，实在还停留在宗教的门槛之外。在中国，像胡伯伯胡伯母和我那位中学同学的父亲——他目前是神学院的教授——那样的宗教信徒是非常之广的，何况他们所信仰的又是一种"洋教"。中国的本土宗教是道教，尽管时下关于老子《道德经》

关于《易》关于东方玄学即东方神秘主义的书刊很畅销，但购书者同宗教信仰十个有九个半毫无干系。也许没有和不要乃至反对宗教信仰是对的吧？我就读过许多西方人写的揭露西方宗教黑幕的书，但他们虽然揭露教会和教士，也嘲笑教徒，却似乎总还是维系着一种对终极主宰力即造物主或曰真主或曰上帝的尊重与敬畏，许多西方人也包括有宗教信仰的东方人尽管并不一定遵循教规严格地参与宗教仪式，但他们灵魂中却有一种宗教信仰的因素在无形中支配着他们的心理、言行和人际间关系，那也确是不难举出例证的。我们呢？至少在我，就因为并无宗教信仰，所以到头来就很容易认为在这个世界上其实真是无需真诚与献身、愧疚与忏悔、宽宥与和解、超越与升华。

但这也确只是一些偶然生发出的愤激之言，自知偏颇。中国人之没有认真的宗教信仰非我而始，亦必非我而终。也许世界上最大的一个民族的最大特色即在于此。因而，至今想到同胞中的胡氏夫妇头扣瓜皮的一幕以及那位牧师口吐"我信上帝"四个字时的庄严神情，仍在莫名的感佩中有一种莫名的惊诧，经久不息。

1992.5

我的两个读者

如果参加一次智力测验，问我中国四大避暑胜地是哪几处，我想北戴河、庐山这两处是肯定可以答出的，莫干山也许不一定马上猜中，但试过诸如大连、青岛、烟台、秦皇岛以及峨眉山、九华山、五台山、青城山（反正避暑不是去海滨便是上高山……）之后，也许还能说出莫干山。第四处呢？如果有人告诉我那正确答案应是鸡公山，我一定会惭愧得无地自容，因为我原来就根本不知道有个鸡公山，它在哪儿？它怎么会是避暑胜地？

1992年仲春，有机会到河南畅游，除了到洛阳看牡丹和龙门石窟、到三门峡作黄河游和见识中流砥柱、到开封游龙亭赏铁塔逛御街……也应邀到豫南的信阳一游，这才知道信阳南面有座奇妙的鸡公山，而且据信阳人说，从本世纪初，鸡公山便与北戴河、庐山、莫干山并列为中国四大避暑胜地。

登上鸡公山，方知它确是一名副其实的妙地。鸡公山属大别山的一脉，因此处豫楚交界，南方暖气流与北方冷气流常在此汇融，而南北的气流都失却了锐气，因而造成一种格外温润宜人的自然生态，南北各种植物几乎都可以在此生长，山中常年云气氤氲，而又不常大雨淋漓。而更有趣的是它山形奇特，其主峰顶部系一块凸现的巨大裸岩，岩体恰似一只引颈吭啼的公鸡，从某一角度望去，鸡冠、鸡喙、鸡身、鸡翅俨然毕现，堪称自然奇观。

从清末起，便有外国传教士、洋商以及中国的达官贵人到鸡公山上建造别墅，每逢暑期，便纷纷从武汉或别的地方登山避暑。20年代末和30年代初，山上的别墅建造得最多，也最讲究，洋人们因来自不同的国家，因此所建造的别墅便具有不同的风格，故而当年鸡公山便有"万国建筑博览馆"之称，又有"十里风飘九国旗"之说。而中国的军阀豪富后来也都到山上营造私宅，争奇斗妍。有一位吴佩孚手下的师长靳云鹤，此人一生本无善可陈，后不知所终，但他为压倒洋人，在山上修造了一栋体积庞大、气派雄奇的"颐庐"，为将"颐庐"身后的以走兽之王雄狮为徽号的英人别墅压倒，他特在"颐庐"顶上造了两个翘角高亭，以飞禽之王蝙蝠为饰，意思是我在天上你在地下。他那座建筑竭尽豪华之能事，却偏取名"庐"，意思是我们中国人羞这玩意儿，不过一草屋耳。据传他一年中来此"庐"时间不多，却天天派兵弁持枪守卫，一有那山上外国人的小孩或寄宿学校的学生走近，便厉声呵斥，不使接近，这种比"精神胜利法"略胜一筹的民族主义作为，至今在鸡公山一带传为美谈。抗日战争末期，蒋介石、宋美龄夫妇及美国顾问马歇尔等都曾到鸡公山停留过，故而现仍有"蒋氏防空洞"、"美龄舞厅"等建筑供游人参观。

现鸡公山风景管理局局长徐公乃一幽默之人。他一边陪我们领略鸡公山风光，一边自述其"文革"中改名字的经过，当时迫于风气，他那既俗又易被人视为"封建"的名字不得不改掉，于是他灵机一动，去掉原来的两字之后而易为一个"公"字，一心为公嘛！别人能提出什么意见？但那时他才二十几岁，别人一叫他，便称徐公，他含笑答应，无形中得到了一种超级新生，一直延续至今。谈到这改名的经历他哈哈大笑，我们也哄然称妙。

徐公领我们转到"美龄舞厅"，所谓"舞厅"，不过一仄隘的封闭走廊而已，颇令人败兴，这时便有一英俊男子走过来向我们解释，他说那时宋美龄、马歇尔等共舞，也不过是用一台手摇留声机伴奏，统共四五对舞伴而已，所以从屋里跳至廊中，再从廊中跳进屋里，又非"迪斯科"，也很少"伦巴"和"恰恰"，大都是慢三步、慢四步，因而这空间也便足够了。再说那时国难当头，蒋介石忧心忡忡，山上有一处亭子当年便命名为"伤心亭"，此名传至今天未改，你想宋美龄纵使用共舞搞一点"夫人外交"，又怎敢也恐怕并不愿大张旗鼓地"歌啭玉堂春，舞移金莲步"……

我们听了不禁一边点头一边向徐公说:"你这儿的解说员水平真高!"

徐公便笑着说:"小周原是导游,现在可是副总经理了——"又把我们介绍给他。那小周掏出名片给我们,原来鸡公山已开工兴建中外合资的索道站,有了索道后,游客们便可以很方便地到山后的瀑布群中领受更瑰丽的自然奇观了。小周名周继伟,现已任鸡公山索道公司副经理。周继伟知道我是谁后,非常激动的样子,他建议我们大家都随他往上登到观鸡亭去,但别的同行者都说已登过鸡公山顶峰报晓峰,体力实已不支,婉谢了,我本也觉倦怠,不想再往上而只欲往下,但周继伟一脸诚挚恳切到汗津津的地步,我便同意单随他往那观鸡亭游。

说周继伟是个男子汉那是一点儿不夸张,1.80 米左右的个子,宽肩而又腰肢细挺,脸庞黑红,眉粗眼亮,一张开嘴,便露出两排整齐的白牙,登高中偶然一握他的胳膊,肌肉像安了弹簧般富有韧性。他一边扶我登攀一边娓娓讲述关于鸡公山的种种传说,以及自然生态和别墅建筑的种种详尽情况,惹得一群不认识的游客尾随在我们身后,构成扫帚星的阵式。

登到观鸡亭,原来那亭建于一处平台,从那里恰可细望报晓峰的鸡形。我对周继伟的厚爱十分感激,便问他何以对我如此优待?

他便告诉我,他是我的读者。不是一般的读者,是老读者。

原来,1978 年,他那时才 19 岁,正在新疆当兵,当时他们那个营总共只订有一份《中国青年报》,而该报连载了我的一篇小说《爱情的位置》,在那经历了"文革"十年浩劫所形成的文学荒漠之上,光那小说的题目已令他们一群性已完全成熟爱欲隐藏在心底往上撞击的秃小子们所狂喜不已,于是一张印有我那小说的报纸在他们手中传来传去,读时爱不释手,未读到的耿耿于怀。周继伟呢,因为在炊事班分工养猪,离那报纸最为遥远,所以,他就只好从别的战友那里借个手抄本来读,读时觉得大受启蒙,遂也打开笔记本,在灯下分几夜将我那小说一字一句地抄写下来,我记得那小说约 1.2 万字,我的老读者周继伟竟将那 1.2 万字认认真真地在本子上抄录了一遍!

轮到我激动了。我知道自那以后的十几年中,社会生活大大地向前推进了,文学的发展更早地把我那《爱情的位置》超越得在评论家、同行、大批新读者心目中已毫无位置可言，而且我自己也已经有许多年羞于再提及自己这篇粗陋的、说教式的、笨拙的作品，它也确应早该湮灭无闻了——但我面前站着活生生的并且是俊美的 34 岁的周副总经理，他一身浅褐色的合体西服，系着斜条纹的红蓝相间的高级领带，领带上还有金光闪闪的领带夹，一手中还握着有天线的报话器，他却不仅仍记得《爱情的位置》，还仍感谢我那篇小说当年给予他干渴灵魂所带去的欣悦，并且因此对于终于见到我而高兴，他出于一种积累 10 多年的感激之情甘愿单为我作一次鸡公山的详尽入微的导游解说……

周继伟继续领我游鸡公山，我让他停止导游式的语言，而改为我们之间的相互深谈，这样也就慢慢甩开了跟在我们身后的不相干的游客。他又告诉我，1980 年，他那时在部队一个月的津贴只有 7 块钱，除了自己零花，他还要给家里寄一点钱，因而每一块每一角乃至每一分对他来说都是至关珍贵的，但当有一个轮休日走进驻地附近的新华书店，看到那里正出售我的小说集《这里有黄金》时，他毫不犹豫地掏出七分之一的津贴费买了那本书。

我自那时以来，到目前已在国内外出版了 35 本书。《这里有黄金》对我来说也已属于"少作"，不待评论家们或当代文学史家们将其弃若敝屣，我自己也早不在有关自己的文学履历中提及这本书，然而听到周继伟讲出这些往事，特别是看到他那仍对我这写出那样小说的人倾泻出无限信任、钟爱及至敬仰的眼光，我的灵魂不由得还是悸动了。

我悟出了一些道理。

记得我父亲五六十岁时，那时我这一辈人热衷于谈论秦怡、康泰等电影演员，后来还有谢芳、赵联什么的，要么就是苏联的邦达尔丘克、拉丽奥诺娃什么的，然而对于他来说，那时候的新电影新明星于他的意识统统是"刀枪不入"。要说电影，他便只记得《孤儿救祖记》或者《三个摩登女性》之类，明星嘛，他提王汉伦或者阮玲玉尚能激动，论外国电影外国明星，他只认卓别林，还有什么玛丽·璧克馥，后者我是读了《世界电影史》才知其人的，但是，你一点没有办法，无论你告诉他《孤儿救祖记》那样的电影实际上有多么幼稚，而王汉伦以今天的观点看简直可以说完全是表演艺术的门外汉，但我可以打赌，倘若五六十年代王汉伦还活着而我父亲有幸见到她，那一定会激动得不知所措的！

没办法，人在自己的一生中基本无法选择所笼罩其人生的各阶段的人文环境，周继伟那时候就不可能预先读到80年代末才长到30多岁才写出并发表出绝佳的关于性和爱的小说的作家的作品，他从"官方"的印刷品中可以读到的涉及爱情的小说，在1978年那个特定的人文环境中竟至于仅有敝人的那一篇，所以尽管时代前进了，一千篇一万篇写得越来越精彩乃至美轮美奂的爱情小说乃至性探索小说接踵出现了，而在周继伟心灵上留下重重擦痕的，竟仍是那篇《爱情的位置》。

念及此，我现在不为写了发表了《爱情的位置》那样的小说而害臊，人生得一知己足矣，我能拥有继伟这样一个读者，也不枉当了十几年的作家！在周继伟的办公室，我为他题下了这样两句话：

爱情依旧有位置
这里当然有黄金

并在下面用小字写道："为感念继伟小弟十四年前手抄拙著《爱情的位置》及用津贴费购拙著《这里有黄金》而题。"

我自忖我的新作尽管仍在不断推出，但已无可能再在任何一位读者心灵中留下如14年前周继伟心灵中那样的划痕。新的文学震撼力来自比我年轻的一代的作家，我对他们既不嫉妒，也不艳羡，因为在人生的阶梯上，每个人都有自己最光辉照人的一级，在文学的园地中，也应该不能总是一种花永处最诱人围观的境界。有周继伟这样的老读者仍紧念着我、钟爱着我并追踪着我的新作，我已相当地满足！

我们一行三人从信阳直返北京，深夜登上硬卧车厢，车是从广州开来的，登车时车上已满满当当，行李架上绝无一隙可再容纳物件的空间，然而我们携带的行李总得找个地方安置，车开后我便试着往下铺底下塞放，谁知我们应占用的那上中下三个铺位的最下面全是乘务员安放的备用被单,一摞摞塞得再无空隙,不得已我只好再往对面的铺位下寻找空间,正弯腰试探,便有一中年男士走过来很不高兴地对我说:"你别往那儿放,那儿有我们的东西!"我便只好叹口气,与同伴面面相觑,且先将行李都堆放在铺位间再说。

后来车厢内除脚灯外其他灯都关闭,大家上铺睡觉,有些不知靠什么关系进到车厢的无铺位乘客便坐在窗边的折凳上打瞌睡,这时我注意到那不允许我往铺位下塞行李的中年人几次走到我斜对面的下铺那儿照顾一个已盖着毯子睡在那儿的一个男子,又凑到那男子耳边唧唧哝哝地不知说了些什么,把那下铺的男子服侍了,他自己才到另外的不知哪一个铺位上去安歇……

第二天天大亮时我才起床,起床后洗漱间已然无水,我只好不洗脸不漱口凑合,我们三个坐在我们这边的下铺上,那中年人和那男子及另一妇女坐在对面的下铺上,大家都无聊,便互相搭讪起来。

对面的三个人,那妇女显然与那两个男士无关,她只顾看着一本消遣的杂志,而对面的两个男士,现在终于看清,那睡下铺的相当年轻,那中年的穿着花茄克衫,装束比较随便,而那年轻的则穿着一身灰色西装,西装的质地很考究,只是看不出牌子,里面的衬衫和领带都是正宗的金利来,裤腿下露出的袜子上也有标志,是正宗的梦特娇,一双皮鞋也显然是真皮的名牌货,手腕一动,则又可以看见戴的是超薄型拱形镀金表,不消说,一定是位大亨了。

那中年男士话比较多,年轻的却比较寡言。中年男子为头晚上不让我往他们下铺床下塞行李略表歉意,我们便都笑着说没关系,反正这也快到北京了。大家行李都没丢就好。

这时那年轻的笑了笑,开口说:"昨晚你们见我睡在这儿,一动不动,也不做声,以为我早睡着了吧?其实我非常清醒。我们本是要从武汉坐飞机飞到北京的,可是最近机票非常紧张,不得已我们才坐了这个硬卧,一上车我们就发现对面三个铺位空着,显然是有预留了车票,车到信阳,果然有人上车奔这三个铺位而来,我躺在那里,耳听目测,一时真不好判断:你们是什么人呢?你们的行李件数不多,但鼓鼓囊囊，车开以后又很注意整洁，不愿意随意堆放……但我和我的伙伴很快得出了结论：你们都是好人，不是那种有侵略性、进攻性的人，所以，我后来就安然入睡了……"

他说得我们都笑了。我便猜他们是大款，大款是北京话，但他们也懂，他们却摆头否认，中年人说："我们也是吃皇粮的。"这样，我就猜他们是企业里的经理人员，那中年人说："他是经理，我是给他拎包的。"我们同那中年人又聊了一阵，他更吐露真情说："我比他大好多，我原来是湛江的，说相声的，用普通话说，也用方言说，还演丑角——对了，你们猜对了，我原是曲艺团的演员，可如今谁花钱进剧场看曲艺听相声，我又不能上电视，走不了红，人也大了，所以就辞职了，改行了，给当经理的拎包来了。"

年轻的斜了他一眼，仿佛嫌他话多，他便不再言语。于是我们便让他们猜我们究竟是干什么的，我的两位同伴因为在前面的谈话中已透露出是报社的记者，所以我便告诉他们我并不是记者，请他们猜我的职业。

中年人很认真地猜了起来。他先判断我是到信阳讲学的教授，后来又猜我是去信阳联系经济合作事宜的人士，再后又猜我是去考察信阳毛尖茶叶的茶叶专家……他的猜测引得一旁的妇女也暂停看杂志而盯住我琢磨起来。

同伴告诉他，我们原来是要买软卧车票的，也是因为未买到软卧票才来到这个硬卧车厢，于是他又猜我是个中央某部下信阳视察的大员，见连连摇头，又猜我是走穴的歌星，乃至被请去拍风光片的摄影师或摄像师，后来更猜成去信阳设计大建筑物的建筑师、去信阳参加会诊的大夫……

逗得那一旁的妇女也笑了起来。

我的同伴便告诉他，刚才他所猜的各种行当中，已有与我职业沾边的，他正蹙眉检索，那年轻的经理一锤定音地说："搞文学艺术的！"

到底是当经理的材料。

"那么，究竟是文学艺术当中哪一门类呢？"

年轻的经理猜度道："画家！你是去信阳写生的！要么你是搞雕塑的，被请去搞城市雕塑！”

中年人也跟上去猜："要么你是搞戏的！跟我同行吧？也是搞曲艺的？……要么，弹钢琴的？唱歌的，美声唱法？要么你是导演？……"

见我们这边三个连连摇头，那年轻的经理才又一锤定音地说："你是搞文学的！"

我点头，但心中泛出一阵悲凉之感。看来他们不是故意要猜错，但竟然要绕那么大的弯子，才终于把意识的扫描器晃到文学这个行当上头。呜呼，当今的文学，你的位置，已在社会边缘的边缘矣！

"他是搞文学的，那么他究竟是写什么样的文学作品呢？"我的同伴还在引他们猜，但我已经没有了再让人猜的兴致，对面那位妇女已经又埋头读她手里的杂志，我可以断定，那本杂志上有文字，然而绝无文学。

"你是写报告文学的吧？"中年人说。

报告文学我倒也写过，但作为一个答案我只能摇头。

"你写诗的！你是诗人！"年轻人说。

我悲哀地摇头。

"你写电影剧本？写电视连续剧？"他俩几乎是一块儿说。

说真的，我简直要哭出来了。在两个当代最符合时代潮流的人物面前，我所从事的劳动，即使在他们最善意的出发点上进行最从容的推测，也依然不能中的——像我这号人，真是多余，或真是可有可无，而且更接近于可无！

"啊，你是写小说的。"年轻人终于作出了判断。实在也是不能不有的判断。他不能绕了那么一大圈之后，还去猜我是写考古学论文，或写大批判稿的吧！

中年人见点头，便称抱歉，说他即使在曲艺团的时候，也几乎不读什么小说，年轻的经理则说他10多年前还看小说，但这些年是根本不看了。

我真怕再顺这话题聊下去，便反过来问他们究竟在忙些什么？他们便说他们那公司现在也参与房地产的招标活动，交了2000万的手续费，但进场后因为有那财大气粗的企业将一平方米的地价抬到了万元以上，他们用"大哥大"同公司总部联络后，只好服输退出，但厦门一块价值4800万元的地皮，他们还是打算下决心买下……

我这种人听这号事，总有种从"小喇叭"里听童话般的感觉。听不大懂，因此我的转述也可能不准确。但那口气，那派头，确绝无夸张。

年轻的经理是典型的广东人长相，细高的身材，高额头、深眼窝，但他皮肤似乎比一般广东人白皙，可能是长期在写字楼和小轿车以及飞机机舱里活动的缘故。他和那中年人整理着他们的行李，其实都很简单，中年人手里是一只黑色的真皮密码箱，而年轻人从铺位下取出一只浅褐色的式样一望而知是洋货的高档皮制旅行包，想必其中有我等寒酸者永远猜不准的意味着如 4800 万人民币价值的文件一类的东西，很神秘，也很神气，这就难怪头晚他们不允许我们往那旅行包旁边伸手塞东西了。

中年人因为车还没有到站，仍觉无聊，便闲闲地问："您是写小说的……请问您贵姓？"

我便说："姓刘。"中年人想了想，便不言语。

年轻的经理歪着头想了想，却忽然大声地，以一种怀疑的声调——尾音往上挑起，斜睨着我，问："刘心武？"

我的两位同伴顿时笑出了声来。我也一惊。同时，心里又一热。

毕竟他在知道我是写小说的并且姓刘以后，所想到的并脱口而出的头一个名字是我。

我便问他："你知道我？读过我的小说？"

他笑了："原来你就是刘心武！对！10 多年前我是读小说的，我还记得读过你一篇《我爱每一片绿叶》，当时很感动，很崇拜你的……"

看来不是假话。10 多年前，我是属于 10 多年前让人感动甚至崇拜然而后来就让人遗忘以至猜了半个多小时仍想不起来的那种写小说的人，然而，我满足！我幸福！

年轻人取出了他的名片，给了我，也给了我的两位同伴，他这才赋予了我们透明度。原来他是广东某市一家很有名的地方企业的业务经理并且又是该企业在深圳的分公司的总经理，该企业的若干产品的广告几乎天天在中央电视台出现，并且每天绝不止出现一次……

年轻人和中年人都对我亲热起来，年轻人还把他的"大哥大"的号码手写在名片上，说今后有什么事可以随时打电话找他，如果我们写小说的人有什么需要他们公司帮忙比如投资的，他都可以效力……我很感激，也清醒地认识到：他并没表示他要读我的新作，他甚至都没有问我自那"绿叶"以后又写了些什么，正在写什么；他也并没有如我以往碰到的某些行业的人一样，说什么"你们真该来写写我们，反映反映我们这一行的甘苦"，他当然有甘苦，但他头脑里连请作家去深入一下那甘苦、写写那甘苦的客套话都没有，他的甘苦显然绝不需要如我等小说家写成小说然后供他阅读帮他化解，他是绝无兴趣也绝无多余时间去读小说的……

信阳归来以后，我一直忘不了所遇到的两个读者，我想周继伟一定还记得我，然而那位广东的年轻经理再过些时候还记不记得我，就难说了——从这两次邂逅中，我获得了安慰，我喜悦，然而也深刻地意识到一种超出个人天分、努力之上的强大因素，宰割着我个体生命的跃动效应，因而，想到我调动过自己的聪明才智，抓紧时机作出过必要的努力，那么，尽管我开放过的花朵已然谢落枯萎，我仍在长成浑圆的果实，我并无希望达到所谓的永恒，我终将被更年轻的生命淘汰与遗忘，我也问心无愧！

从此我该不再自卑，也不再妄想。

鸡公山的风景管理局的局长徐公说，鸡公山是一个"四无"的清凉世界：一无空调，二无电扇，三无凉席，四无蚊帐，因为统统用不着！我想我的心灵也该进入这种四无状态：不再需要虚妄的向往调节内心的焦虑，不再要花哨的鼓吹煽动起无聊的蠢动，不再需要强制性的冷刺激以压下发烧的欲望，而且也无需矫情的心灵帐幔去躲避蚊虫的叮咬，总而言之，我要遍体清凉地清醒地静静地走完自己的文学之路，直至生命的终结。

1992.5.11 于北京绿叶居中

"黑匣子"以外

最近国内接连有两次飞机失事，一次是南京飞往厦门的一架苏制雅克式飞机，发动后未能升空窜出跑道撞上田埂发生爆炸；一次是北京的一架在长城上空作游览飞行的直升飞机，忽然坠毁于田野之中。这两次飞机失事的原因都还有待查明。相同的情况是——空难发生后，多数人死亡，却有少数人奇迹般生还。

不同的人会以不同的角度关注这两次空难。死亡者家属是一种心态；有关责任部门是一种心态；大难不死的乘客又是一种心态；而不死者之中的重伤致残者和轻伤者及惊魂归窍后发现只不过擦破了一点皮的人大概心情又各异。从电视上报纸上了解到这条新闻的局外人的心情也是各种各样。

有关部门，当然要千方百计找到飞机上的"黑匣子"——据说已经找到——并且要仔细分析"黑匣子"里所提供的全部信息，以分析空难发生的最具体、最准确的原因。

"黑匣子"是现今每一种航空航天器上必备的能够在空难发生后不被炸破焚毁的用以解开疑团的一种装置。它里面不但储有飞行器启动后的各种数据资料，而且录有机组人员的全部声音。一般在空难后只要找到"黑匣子"，便能解开发生事故之谜。

我过去写作，颇有点像专心致志于寻觅"黑匣子"并且试图单枪匹马地破译"黑匣子"里的种种信息的人。后来便渐渐感到力不从心，并且自问：难道这是作家该做的事吗？至少，这并非作家所擅长的吧？

　　现在我写作，颇有点且弃"黑匣子"而去体味、感叹不同人的不同命运的劲头。"黑匣子"或许确可使我们了解到一件事究竟是怎么发生的，责任在谁、教训何在，但"黑匣子"能回答这样一些问题吗：同在一架雅克机或一架直升机上，空难发生后，为什么有的人立即暴死，有的人不治而亡，有的人致残，而有的人却仅仅轻伤乃至于"秋毫无犯"？有一种说法是：大型飞机头尾较安全而中段最危险。这回南京空难，尽管头尾的确都有若干生还者，而且因由中段爆开所以该处死亡甚多，但是就有一位空姐从那中段里被气浪冲出弹起老高而最后落到水塘之中。虽然当时魂飞九霄之外，被人捞上来时也似奄奄一息，但洗净身体稍事救治后，竟是囫囵一个完好的人，以至于当慰问者云集医院时她已能谈笑自若；又有一种说法是体魄健壮反应快捷之人保住生命的可能性大，但这回无数壮汉健妇在雅克机中瞬间死亡，却有一个不懂事的婴儿——脆弱到极点的生命，偏不仅幸免于难经检查也只是擦破了一点细皮。直升飞机中的遇难者和生还者究竟是为什么在那样一个小小的时空中、那样一个短短的瞬间里会有那样绝然不同的命运，就更令人意想悬悬，徒然感叹了。

　　因而我觉得文学之所擅长，也许确在"黑匣子"之外。即使是写纪实性作品，写报告文学，也不一定强求自己的一支笔去独获"黑匣子"独解"黑匣子"之谜；文学应关注个体生命史，即使以群体的考察作出发点；文学应唤起人们对个体生命的生灭状态感叹。我并不主张"人绝对不能把握自我命运"的哲学，而导致"宿命"的结论，或悲观到认为人在生活中"无经验可总结，无教训可吸取，无规律可遵循"，但我却以为文学的使命之一，恰是在人类对于经验、教训、规律即真理孜孜以求的过程中，给予心灵一种丰富和补偿——要意识到宇宙、世界、社会、人生、自我，特别是一切生命现象的神秘一面、深奥一面，从而自灵魂中生出一种大敬大畏大战栗大悲悯大醒悟，真达到那样一种境界，则也就有大自信大欢欣大爱心大智慧。

　　据一位南京空难中生还的受伤者说，当时他一点也没意识到死神扑出了利爪，只是在不足一秒钟的时间里，感到突然像有一块厚重的黑帆布压了下来，然后便万事不知，待醒过来时，才迷迷瞪瞪地发现自己正在医院中被人抢救。这是一位有了死亡体验的人，可惜他不是文学家，不能将他那瞬间的感受更精微地写出来告诉我们，我想寻找"黑匣子"的部门对他的这类心理活动未必有多么大的兴趣，乃至于全无兴趣，然而作家们的兴趣，却应当集注到这一领域里来，即使也同时还有对"黑匣子"的兴趣。

最近看了一部美国电影《幽灵》，表现一个男子被人暗害后，阴魂不散，他千方百计地保护了自己仍在危难中的爱人，同时最后竭尽"魅力"使不义的恶人得到恶报而下了地狱，自己则在人世的义务都尽完后才步入天堂。故事扬善抑恶的主题可谓陈旧，情节推衍的逻辑不免幼稚，却相当有观赏性。我想除了特技处理精彩，演员表演自然之外，恐怕主要还在于它探究了人的灵魂存在与否及以何种方式存在这一问题，这的确是一个文学艺术中的永恒主题。

"文学是人学"的古老命题当然仍有其经典性指导意义，但我们现在还要给它注入新的内容：文学是命学，是运学，是魂学。

人生如登机。要坚信：飞机的失事率，在全球范围内远远低于火车、汽车乃至自行车，因而应当坦然自若。但敏感的人在飞机上总还是不免偶有一颗心悬起来的感觉，倘能将那感觉化为一种命运感，并能最终溶解到幽默之中，我以为便是文学并且是好的文学。

1992.8.18 于北京安定门绿叶居中

话说 "沉甸甸"

　　一位台湾散文家痛心疾首地告诉我,严肃文学在极度商业化的台湾岛正处于苟延残喘的岌岌可危的沉沦状态。据他说,近一年来全台湾所出版的长篇小说,竟是一个个位数,也就是说,不到 10 部。当然,他说的是严肃文学中的长篇,不包括言情、武侠一类的通俗文学中的长篇。但他接着就告诉我,就连言情、武侠一类的制作认真的较长篇幅的文学作品,亦在减少中。目前只流行着一些浅薄的小册子,里头大量的留白,或许多的插图,短短浅浅轻轻飘飘柔柔曼曼扭扭捏捏地分行印着一点文字,赚取以高中女学生为核心的读者群腰包中的钞票。他因此以极其恳挚的语气对我说,真祈盼大陆的作家们不要都奔向 "情、奇、轻、怪" 的畅销之路,而使严肃文学仍能较坚实地在社会上立足。

　　我理解这位台湾同行的心情。我也感觉到大陆文学的发展走向在某种程度上在重复着台湾近二三十年有过的历程,只不过把每一步的步幅都增加了因而加快了变幻速度而已。比如都有过一个狂热地拥抱西方文化特别是膜拜现代主义的浪峰,又都有过一些标榜乡土崇尚原始民俗弘扬东方神秘主义的大波,自然还有 "性大潮" 和叙述语体的 "颠覆热",再又都有过一股回归的热潮,或回归于民族传统,或回归于质朴天然;后来又都有受西方结构主义、后现代主义及女权主义批评理论影响的最新锐的试验性作品;当然又随之有一批回复到格律上的诗和回复到讲故事框架中的小说。而当商品经济的大潮滚滚而来时,又都有作家 "下海",或由严肃而转入通俗,或干脆弃文经商，或竟转而鄙夷文学之无聊，嘲笑作家之潦倒……

那位台湾作家又把严肃文学叫做"小众文学"，把通俗文学叫"大众文学"，他所说的"小众"当然并非大陆"以阶级斗争为纲"的符码系统中的那个"一小撮"或剥削者压迫者的意思，他说的"小众"据我的理解是指社会群体中文化素养和审美品味都比较高雅的分子，这一部分人承担着酿造社会文化精华的历史使命，由于他们的努力，原来只由"小众"激赏的文化精品，逐渐成为公众乃至大众的日常精神食粮，比如西方卡夫卡的小说刚出现时便是一种"小众文学"，而现在已进入德语国家中学课本，成为一种公众常识中的东西。我们中国的一些古典文学作品也如是。当然当这样一些原来的"小众文学"变为公众共享的精神财富时，却又产生了令当时公众不能都理解的新的"小众文学"，于是"小众"们再次扮演筚路蓝缕的角色，历史的戏剧便这样似乎是迭进般地搬演。需要附带说明的是，"大众文学"虽然大多数都是应市而出的"萝卜快了不洗泥"的产品，时过境迁便难免随风而散，但其中却一定会有少数的作品水落石出，从而获得较久远的艺术生命，例如美国的那本现在书商又搞出续篇的《飘》，以及张恨水的那本《啼笑因缘》。

台湾同行的担心对我们起着一种提醒作用，可供参考。但依我个人的感觉，以大陆幅员之广袤，读者群体之庞大，即使有"大众文学"和"小众文学"的分流，那"小众"的数目恐怕也比整个台湾的"大众"还要多上好多倍。我还是宁愿袭用严肃文学和通俗文学这样的称谓。当然这两个称谓从字面上其实也是很可疑的。严肃的文学作品难道就必定是让俗人读不通的吗？通俗的文学作品难道都是不严肃的创作吗？

其实，依我想来，所谓通俗文学，大体而言，是指带有消遣消闲性质的读物，类似于音乐中的流行歌曲，或博人一粲，或助人宣泄，或煽情，或躁动，总之一般只触及感知的表层，或虽有深入也仅及腠理不入骨髓。以现时的中国，最受欢迎也最有价值的通俗文学作品，我以为应推谐谑风格的调侃之作，既然一切都弄不大明白，那么，爽性就不必都弄得那么明白吧，且珍重此时此刻此身此意，把一切化为笑谈，讥而不伤，讽而不虐，彼此彼此，在无差别的混沌状态中达到相互就合乃至和解与和谐。这样的作品中最有可能经时间和世境的筛消而留下几部传世的佳作，如《飘》永远飘着，亦如《啼笑因缘》永远可以啼笑下去。

而所谓严肃文学，严肃者何所指？难道严肃文学就不要幽默？不要文风的灵动飘逸？就不写喜剧闹剧？当然绝非如此。严肃文学的严肃所在，我以为核心就是有一种终极关怀。何谓终极关怀？终极关怀或又可称为终极关注或终极追求，就是不管那作品什么体裁题材风格流派，采用了什么创作方法，使用了什么样的符码系统，构成了什么样的"文本"或又称"本文"，其中总蕴涵着一种终极性的思考：我，即个体生命，为什么存在？存在的意义是什么？或真的并无意义？还有我以外的，即由另外的一个又一个许许多多个的生命实体组成的群体即人类，究竟是怎么一回事儿？人性的深处究竟是些什么？个体的命运与他人与群体的活动究竟在怎样交相作用？而个体和群体的终极目标究竟应该是什么？这里所说的终极目标当然不是一百年或几百年之内的那些政治的、经济的、社会的、道德的、伦理的、文化的目标，而是超越和穿透这一切的更本原的目标。这样的目标也许是找不到的，或你自以为找到了而不被别人特别是不为社会大多数人所承认，乃至还要遭到无情的批判，如十九世纪俄罗斯大文豪列夫·托尔斯泰和陀思妥耶夫斯基他们在痛苦的心灵挣扎中分别找到了"勿以暴力抗恶"和皈依至善的终极目标，就是如此。

这样地一味严肃，作品自然会给人一种沉甸甸的感觉。《复活》和《卡拉马卓夫兄弟》就是沉甸甸的典范。列宁说列夫·托尔斯泰蠢头蠢脑，陀思妥耶夫斯基早被别林斯基斥为政治上反动，但据说在苏联解体后，大批红极一时的文学作品顿时令人感到索然无味，而列夫·托尔斯泰、陀思妥耶夫斯基却不仅仍然甚至更加令文学爱好者心仪。倒也不是人们钟情于他们终极追求的所得，什么"勿以暴力抗恶"，什么皈依至善的宗教狂热，依然不为人们所追随所信奉，但人们从他们的作品中感到灵魂震撼和审美愉悦的并不是那终极追求的答案而是那终极追求的劲头本身；那弥漫在他们作品字里行间的沉甸甸的痛苦感，是达于甜蜜程度的痛苦，充满了琴弦振颤般的张力，使一代又一代的读者在心灵共鸣中承继了一种人类孜孜以求的精神基因。

这种充溢着终极关怀的沉甸甸的文学作品，在中国文化传统中也是源远流长而终未断流的，屈夫子的《天问》是赤裸裸的终极关怀，且从个体生命和群体生存达于整个世界整个宇宙，一问接一问，咄咄逼人而且咄咄逼天，他那"路漫漫其修远兮，吾将上下而求索"的诗句成了跨越数千年而被无数人认同的闪光格言。再有那部奇书《红楼梦》，奇就奇在每一回每一页里都充满着一种潜语——在表面的文本深层蕴涵着一种永不停歇的终极追求，谁是我？我是谁？我以外的都是谁？我们是谁？到头来我们都是为了个什么？我们消失了化成了灰让一阵轻风吹散了无形无迹之后，究竟又还有什么？……尽管《红楼梦》也有相当的消遣消闲的娱乐性素质，但它的内核终究还是沉甸甸的，所以完全为了解闷儿找乐儿，那是很难将《红楼梦》卒读的。

打破封闭走向开放的中国大陆必将有多种多样的文学，会有大量原来没有的文学出现，然而"古已有之"的沉甸甸的文学作品，即体现着终极关怀的文学作品，例如上面那样的长篇小说，我相信不仅仍有人会写，仍有出版社愿出，而且也仍然会拥有相当数量的读者，或许对比于只读消遣消闲的印刷品的读者是所谓的"小众"，但搁到世界上衡量一定仍是堪称"大众"的一个群体。

我已交上海文艺出版社出版的长篇小说《四牌楼》，便是一部走沉甸甸路数的作品，沉甸甸的作品艺术上未必都好，尤其我写的这一部。但沉甸甸的作品仍是一种值得去写并相信会有人去读的精神产品。在这部小说里，重要的不是人物和故事本身，而是贯穿在叙述角度和语体中的那种痛苦感，当然是一种甜蜜的痛苦——因终极关怀的艰难而痛苦，也因终极追求的神圣而甜蜜。我把一个又一个平凡而庸常的清白灵魂撕开，进行了无情的拷问，然而这拷问中浸透着大悲悯，生出大挚爱，我想知道人性在大的人文环境中的升腾潜伏与挣扎煎熬，究竟是依什么而变幻跃动。我承认从那小说头一行到最后一行实在是并无实际收获，但又自信我的真挚乃至执拗的人性探索和对人文环境变幻的感叹，产生出了一种心理张力，使我写时有一种净化感，从而使一些读者读时也能有一种幽深之思。

也许会有人说，过去强调文学艺术为政治服务，且在"以阶级斗争为纲"时常以文学艺术为斗争的突破口，还有过"用小说反党，是一大发明"的冤案，文学沉甸甸得够可以的了，现在无妨大大地轻松一下，就是干脆写点轻盈盈的东西，也很好嘛。我与这样的想法并无二致。我自己也并不都写沉甸甸的作品，更不是只读沉甸甸的作品，像我颇能欣赏一部分流行音乐一样，我很喜欢近年来文学园地中一些绝不沉重的轻松调侃之作，且为其作者的才智而惊叹。但我所说的沉甸甸，是另一个前提和意义上的沉甸甸，并非绑在政治战车上的那种被动性的沉重感，而是由作家自主抉择的一种心灵体验；并且也不同于我们常说的"使命感"，"使命感"的政治色彩或道德伦理的色彩太浓，"使命感"驱动下也可能产生出非常好的文学作品，但我所说的"沉甸甸"并非和一个时代或一个历史阶段贴得特别紧的那种"受之于命"的"战士"感，而是力图以一种更具穿透力的终极性目光，直捣个体生存和群体活动根本价值根本意义的"黄龙"，直捣人性的深层，那时作家就更像一个哲人而非"火线"上的"战士"。写沉甸甸作品的作家，其心灵应是无拘无束的，因而也是一种高层次的轻松。从沉甸甸的探求中倘获得了领悟，则更会在大悲悯大欢愉中达到超凡的平静，那时心胸便如灿阳下只泛着银色细波的泱泱大海，包容一切而物我化一。

1992 岁末

池塘·瀑布·喷泉

不是讲三种自然景观，是讲凡人的活法。

人生在世，必有交往，交往之中，渴求情谊。其实凡人自有凡福，若论交友，还是凡人最易获得真友情。

不凡之人，有时也会来交结凡人，仿佛瀑布挂崖，"飞流直下三千尺"，把凡人的生活，搅得浪花四溅，声喧于十里之外。凡人承受此殊荣，往往是始于狂喜，而终于疲惫。所以，自尊而知趣的凡人，往往会主动回避"瀑布之谊"。我有一旧邻李某，本是一区区公务员，一日忽有副部长乘"蓝鸟"驾到，使得杂院里的左邻右舍纷纷围观，李某夫妇在受宠若惊之余，不断为自家屋里的接待条件太差而自惭自愧。那副部长倒真是礼贤下士，绝对地"入乡随俗"，断了簧的沙发也坐，粗粝的茶水也喝，又问寒又问暖，还兴致勃勃地与李某摆枰弈棋——原来副部长才从外省调京，家眷未到，星期天一方面欲深入下层，一方面自己是棋迷，听说李某得过部际棋赛冠军，所以欣然作"瀑布"式访问。没想到李某与之对弈大失水准，且全家处于尴尬境地。他们的交往，后来未能持续，倒不是副部长架子增大，而是李某自己频频回避。

也有的凡人，上赶着去结交不凡之人，如喷泉之拼命上扬自己，宁愿化为散落的水珠，消耗精力殆尽，去换取与不凡之人亲近的快乐。我有一远亲邹某，在副食店工作。他特别崇拜一位笑星，有一回守候在举行大型演出的体育馆演职员出入口外，以"程门立雪"的精神感动了本是轰他走的保卫人员，替他进去求得了那笑星的签名。

他在欣喜若狂之余，更以类似"要把牢底来坐穿"的气概，又一直等到散场，直至那笑星出来——他使笑星也不禁感动，在他要求下，那笑星又给了他一张签了名的名片，并同意与他合影……后来他照着那名片上的电话号码给笑星打去了无数次电话，每次那电话中都有一个录音带放出几句礼貌的言辞："对不起……不在家……请您留下您的尊名和电话号码……"后来他就径直去笑星家，希图一见，结果门铃响后，开门的保姆问清他何许人也后，便扶着门，客气地对他说："……对不起……实在没有时间会见未经约请的客人……"说完便赐他一碗"闭门羹"。他呆呆地离去……回到家中，方恍然大悟——喷泉喷得再高，离星座也还远得很呢！从此他把那份感情，移到了同行业的一位业余相声演员身上，两人来来往往，十分亲密，后来他干脆就给那哥儿们捧哏，业余演出的"草台子"上是"难兄难弟"，平时你来我往建立了通家之好，其乐也融融。

到头来，友情，大体只存在于同一层面的人际间，如平静的池塘，映云影，生春草，憩瘦鱼，鸣小蛙，无瀑布之喧腾，无喷泉之艳媚，但温馨可人，历久不变，弥足珍贵，不凡之人，或跋涉于仕途，或应付于名利场，他们内心的求友欲望，甚至还要超过凡人几分，但他们即使不作"瀑布"去"礼贤下士"，亦不作"喷泉"去"更上一层楼"，只在与他们同一层面中的人士间觅友，其难度与脆弱度恐怕都大于凡人，因为官场上的同侪如过往太密，虽为私交，亦涉帮嫌，加以身负重任，时刻需检验对方是否确系"同一战壕中的战友"，并随时须防止"感情代替政策"，公心持重，私情自然萎缩，名流之间呢，自古早有"文人相轻""同行是冤家"的说法，竞争的阴影，笼罩于人际，虽不乏通力合作、珠联璧合的显例，以及互谦互让、相得益彰的美谈，但相互间十分松弛地不拘礼仪地倾心交往，却也并非易事——首先就没有那么多闲散的时间可以用来作"友情消费"。简言之，不凡之人，需"爱惜羽毛"、"维护形象"、保持一定的神秘感和必要的光晕，不好自轻自亵更不可让一般凡人窥知机密勘破法术，因此，他们即使对同一层面中的同僚、同行，也难得建立起凡人俗人庸人平民之间的那种无竞争无机密不设防不作态的友情关系。有时我们看到听到报刊广播电视里的名人说他们寂寞，那绝对是真话。凡人就往往不具有那近乎奢侈的"寂寞"和"孤独"。

　　凡人在世，有许多艰辛之处，但凡人也能从人生中得到若干宝贵的补偿。凡人在享有来自同一层面中的朋友的情义方面，就远比不凡者优越。一是可以不那么费力地自然获得，二是往往能够坚韧持久以至伴随终生，三是无需注意保密无需设防无需特别地谦逊亦无妨任由性子发泄，四是一旦失去朋友断情绝义也酿不成"路线斗争"或什么什么坛的风波事件，无非小事一桩，于己无致命之伤于社会更毫无影响。

　　因此我说凡人自有凡福，那福气便可喻为池塘之美。"水流平"的幽幽池塘的那一份安宁与温馨，确是瀑布与喷泉所不具备的！

眼角湿润

记得去年年底，我为这个专栏写了一篇《坐下来，笑一笑自己》，我当然还是希望朋友们能那样地在自嘲中抚慰自己疲惫了一整年的心灵，不过，年终的自我呵护，除了坐下来笑笑自己，也还有别的许多办法。

朋友小林，是个所谓的"开心一族"，他对我说："我也不知道每天要笑多少次，你这坐下自嘲的方儿，根本治不了我的心病！"他也有心病？我颇感意外，小林见我耸眉，便说："是呀！现在看看又是一年将近，我虽说照例嘻嘻哈哈，到底心里还是有点空落落的，您说，我不该想个法儿填塞填塞吗？"

人的心灵，也真是个怪东西，别以为它所渴求的，只是欢乐与幸福，它所渴求的，其实是丰富。装满了欢乐与幸福的心灵，有时会因单调而胀裂，因此，最好是有一个欢乐和幸福的基调，而又有不少其他的伴音，包括忧郁、怅惘、哀愁、烦恼……乃至适量的痛苦和焦虑！小林的所谓"心里空落落"，便是缺乏丰富性，所以，针对他的情况，就应给他填塞若干忧思与深沉。

当然，人生在世，"不如意事常八九"，大多数人，一年到头下来，幸福感不会非常充裕，欢乐也未必萦绕心头不息，总会觉得有许多的遗憾、不少的欠缺，所以我主张"坐下来,笑一笑"；但对于小林这一类的"大快活"——多半是还没成家的"单身贵族"，我却愿他们能"坐下来，哭一哭"！

当人的心灵里过分缺乏忧思和痛苦时，那心灵有可能显得轻浮和疏松，谈不到丰富和美好，这时如能一人静处，坐下来，酝酿一番情绪，产生出一种发自内心的感动，哭一哭，我以为那是非常必要的事，是一种灵魂的保健操。

哭一哭，并不是说一定要痛哭失声，甚至并不一定要流泪，最佳的状态，是眼角因心的悸动而湿润。

即使是相当幸福的快活人，一年到头之际，他一人独处，坐而反思，也不难想到岁月如逝，所逝难再，念天地悠悠、人生几何，能不感慨系之？如烟往事，其间几多恩怨，几多爱恨；人际斡旋中，几多得，几多失；就算事业有成，咬牙嬉笑又一年，一旦静坐细校，勘出的舛错，仍颇不少，其间遭遇的白眼挤对，当时挺胸承受，不以为意，现在回想起来，能不痛乎？即如小林，他的快活得了不得，其实全仗着青春正盛、双肩轻松，但青春不能永驻，而人生的负荷必将随年龄的增长而提升，所以居安思危、处顺思逆，对他来说，就格外必要了，在这样的忧思中心动神悸，放纵眼角，任其湿润，绝非丧失男子汉风度，而是为关山再越准备润滑剂、蓄电池！……也不一定只为自己而动情，由己及人，由亲及疏，由小及大，由内及外，可以牵三挂四，七穿八达，想到人皆不易，事皆两说，同时悟出人类的悲怆一面，人性的深不可测，乃至一直联想到宇宙的浩渺和个体生命的微小脆弱……当大悲悯溢出心怀时，眼角的泪花或泪滴，便是你奉献于宝贵人生的最美的花朵与露珠。

我这里所说的坐下来、哭一哭，其意境，你听明白了吗？

其实，我所说的，就是进入"形而上"的境界；有的朋友听说过"形而上学"这个词儿，这不是个好词儿，是指那种脱离实际的繁琐到令人起腻的理论说教；但"形而上"应是一个中性的词儿，是说把思路升华到一种哲学的高度，也就是把实际的生活体验，抽象为一些对最本原的问题的思考，如人生的终极意义，"我是谁？""人与人如何相处？""有无不灭的灵魂？"……凡人不必总入哲思，但凡人一年哲思一回，总还是一桩雅事。真正的哲人，应是不动感情的"冷思"，我乃凡人，而且是与凡人朋友对话，我是主张带感情地进入哲思的，所以有眼角湿润一说。

心理学家早就指出，哭，特别是纵情痛哭，是一种减轻心理压力的可取方式，那种笼统地以哭为耻的看法，使人该哭不哭，拼命抑制，对许多人来说，是极其有害的，不仅有可能造成心理疾患，更会引发癌症等生理疾患；所以，对忧思、哀怨的过分排斥，恐怕也会引出意想不到的负面效应；至于忧郁和惆怅，那可以肯定地说，只要不是心理的主调，那是并无什么害处的，完全不能体察其味，倒可能如玻璃一样，貌似坚硬，而不堪重击；我以为健全的心理，应是韧而柔、富弹性的。说到这里，不禁想到世纪初，汪精卫因刺杀摄政王未遂被捕，狱中诗有"引刀成一快"等"不怕死"的名句，想来写时是很激昂的，但几十年过去，还是成了懦弱无耻的汉奸，那原因当然很复杂，但心理素质早就金玉其外、败絮其中，恐怕也是原因之一。而毛泽东在《井冈山的斗争》一文中，直抒胸怀地写出了"我们感到深深的寂寞"这样的句子，猛一看似乎调软声柔，内里却充溢着革命者在低潮期中的丰富而强劲的心音。当一个人为了正义的事业而"感到深深寂寞"时，他的眼角很可能湿润，那是人性美的一种外化，此种境界，不可亵渎，而应尊仰。

是的，又是一年将尽，坐下来笑笑，很好；坐下来进入哲思，"念天地之悠悠，独怆然而泪下"，也很好！

为一只麻雀高兴

　　有一天，我在胡同口遇上了一个女青年，她仰望着大槐树，满脸喜悦，那表情非常富有感染力，令我好奇。当她目光回移时，恰好同我目光相遇，我俩便相视一笑，不待我问，她便像报告一桩特大喜讯似的指着槐树那翠绿的树冠对我说："有好大一只麻雀，瞧，在那儿蹦哩！"

　　如今我们这条并不出名的街，也满布着大大小小的饭馆商店，胡同外的摊档，一直延伸到了胡同内，直逼大槐树下，喧闹的市声，已使鸟类绝迹，所以尽管胡同口的大槐树上飞来了一只小小的麻雀，也确实算得上一桩新闻。

　　那女青年向我报告完那新闻，也就骑上自行车走了，显然她也是个忙人，有她自己一摊忙不完的事。从此我再也没有见到过她。但她那天因发现一只活泼的麻雀而现出的满面春光，却久久地烙在我的心中，使我一回想起来，便生出一种莫名的感动。

　　我们身处的社会生活，坦率地说，人们的喜怒哀乐，似乎都胶着在了一个"钱"字上，人们想发财，想得眼睛都快瞪得有碟子那么大了，人们互相探问，又互相保密，有时艳羡嫉妒，有时幸灾乐祸，有时巴不得结为一伙共赴金山，有时又希图甩掉别人自己独抢金碗，真是八仙过海，各显其能，时聚时散，浪来潮涌……当然也有自知无竞争之力，抱拙守朴的；也有清高孤傲，冷眼向洋的；也有富而思雅，捐款行善的；也有为一厂一店操心，并非为肥己而奋斗的……总之，市场经济的浪潮，使人们口中说得最勤的是一个"钱"字,心中算计得最勤亦是一个"钱"字,衡量成败得失的标准到头来还是一个"钱"字。这都无足怪,而且还可以说坦言"钱"字促进了生产,改善了生活,发展了社会,虽有弊却无掩于大利的。

不过在"钱"字奔腾跃动于人们的意识中枢时,许许多多的人已经提出了这样一个问题:用什么来制衡这"钱"字对人的负面作用?也就是说,在整个社会为物质的丰裕做出如此这般的可歌可泣的奋斗同时,我们民族该以怎样的精神财富来延续值得自豪的民心民魂?

讨论这样的问题,已非一篇短文所能胜任,回答这一问题,更非笔者认知水平所逮。但我想,至少我们还应使自己的心灵空间,有相当的部分不去承载关于钱财的思虑,在那得以摆脱物欲控制的心灵空间中,又至少能葆有比如说为一只麻雀在翠绿的树冠上跳跃而生的由衷喜悦。

任何宏大的精神高尚的情操,我想都不会是无根之木无翼之鹏,宏大的精神必定萌芽于清醇的善念,高尚的情操必定有哪怕是稚嫩的双翅带动飞升。至今回忆起那在胡同口偶然相遇的女青年,她仰望槐树时的满脸春光,她与我相视而笑时的那满眼欣悦,仍使我怦然心动。我想,那便是她精神世界强健的根须,她情操修养的无形双翅。她能为一只麻雀的活泼生命而高兴,那并不是一件简单的事——我不幸也有与此相反的记忆,一次郊游中,有一只硕大的彩蝶飞到了山道上,游客们不是欣喜地驻足观赏这大自然的恩赐,而是争先恐后地去捕捉,结果那大彩蝶惨死在一个男青年甩出的茄克衫的抽击中,他还踏上去一只脚,将其尸体碾碎,一脸油汗地袒露出潜意识里的无尽满足。我盼中国人都能发财,既包括那在胡同口为一只麻雀高兴的女青年,也包括那扑杀碾死一只彩蝶的男青年。然而,我却希望每一颗包容发财的心,起码也都能包容每一个活泼而美丽的——哪怕是小小的生命!

调剂你的生活色

有位读者给我写信，说他的生活是灰色的，信里弥漫着忧郁的情绪，仿佛猜想到我会劝告他应该换一种眼光来看待生活。他在信里宣称：灰色就是灰色。他这样概括是极客观极冷静的，任何人从旁去观察他的生活，都会得到相同的色彩印象。

仅凭一封来信我无从观察更无从判断他的生活色，但我觉得他有一点倒很值得我们效仿：给自己目前的生活测定出一个色标——如果真能做到尽可能地客观、准确，那对自己来说未始不是一桩好事，由此可以摆脱懵懂而进入清醒，促使自己更自觉地投入今后的生活，或认同它，或设法改变它。我其实并不太欣赏"换一种眼光看生活"的哲学，因为那样搞不好很容易坠入自欺；自欺固然比欺人好，却不是一种有出息的生活态度。如果确是冷静的估评，那么，灰色就是灰色，要改变，就要改变那色源，而不是改变自己的眼睛。

当然，构成我们个人生活色的因素很多，其中许多因素，是非个人单方面努力所能改变的。这里不拟讨论整个儿改变生活色问题，那问题实在复杂；这里只想说说调剂个人生活色问题——无论客观因素多么难以根本改变，把它调剂一下总还是可以做到的。

我曾写过一篇《寻找地平线》的生活故事，讲述一个久住城市的小家庭，他们的生活色不是灰暗的，可以说相当地粉红，似乎就那么样过下去也挺不错，但有一天他们忽然意识到，甜腻腻的草莓色生活窒息着他们的想象力，尤其妨碍下一代胸臆的展拓,于是他们全家组织了一次别开生面的郊游——不是去名胜古迹和著名风景点,而是去了最具纯朴本色的绿野。面对无比开阔的天边地平线,他们激动不已……当然他们不可能也没有必要彻底改变平日的生活色,但意识到了不足,在那生活的底色上巧妙地添上一笔散发着乡野禾苗气息的翠绿色,他们的生活,不是就富于诗情画意了吗?

所谓灰色,从物理的光学角度解释,把许多本来相当鲜艳的颜色混杂在一起,再加以快速旋转,那反映到我们眼里的效应,便成为灰色。一个感到自己的生活色是灰色的人,多半是整天忙忙碌碌而收获不大的人,或他本身倒不忙,而他周围的人们忙得他不能理解,无论是他自己团团转还是别人在他面前团团转或自己别人一起团团转,团团转而事倍功半甚至于劳而无功,当然会眼前一片灰色了,要改变这灰色,确实谈何容易!但我以为也还是可参照上面举出的例子,在意识到灰色的沉闷应予以突破以后,用力所能及的手段,给自己的生活色添上一笔明亮的光泽。比如我就可以为他开列出上中下三策:上策,是把自己从心慌慌的忙乱中部分地解脱出来,有的那匆忙上马效益甚微的第二职业,干脆停掉它,如不属于白忙型而属于"观忙"型,则不要再那么热衷于观察评判讨论所谓"下海"的人和事,这样,不必"换眼睛",生活的色彩,恐怕也就不再那么一味地灰;中策,是延伸自己的活动半径,即使没有条件到外地出差,多到本地的小风景里去转悠转悠,不要总在功利性的前提下安排自己的活动,可以在并不需要买什么东西的情况下去逛购物中心。这样,灰色感也许能稍有缓解;下策则是有意去商店为自己买一样色彩鲜艳形态活泼最好内含富于诗意的小摆设,放在自己每天必然会不止一次触目的地方,像床头柜、书桌等处。不要以为我这是开玩笑,不信试试,大多数生活属灰色的人,可用此法把自己的生活色多多少少从灰色中跳出一点点来。

其实就是生活色是金色银色玫瑰色蔚蓝色或七彩并存的人,他的生活色也有个良性调剂的问题——但我们未入那境界只在坎儿上晃悠的一般人,恐怕就很难给他们出主意了;且不去管他们的闲事吧——先把我们自己的生活色调剂调剂再说。

不要看镜头

　　会场上，拍电视的强光灯在身边打得贼亮，扛摄像机的记者分明从自己那排座位前拍了过去……心想晚上的电视新闻里，必有自己的镜头无疑了。晚上的电视新闻里果然报道了那会议，瞪大了眼睛注视着荧屏，有自己所在的那一排，甚至于有自己旁边的那主儿，还等着自己的光辉形象跳上屏幕，呀！怎么偏这时候镜头一变，换到了会场另一边？

　　有位从老家上京开会的亲戚，有这么一档子遭遇，因为那天电视新闻开播前他从会议驻地给我打过电话，预告过他将出现于荧屏。后来他很是难为情，并且在到我家做客时胡思乱想地问我："是不是那新闻片子被审查的时候，听到有人说我什么坏话，所以不让我演出来？……"我不禁笑了，问他："人家拍电视的时候，你是不是把眼睛正对着镜头来着？"他说："是呀！我比哪个都认真，我一直非常严肃地看着镜头，一点也没有笑呀……"我说："这正是你的光辉形象在剪接那条新闻时被删去的原因——我简直可以肯定！"我向他解释，除了电影电视剧里有意要表现角色在某种特定的情况下的视线或心理活动，或新闻报道中要刻意让记者主持人和被采访者与观众直接交流，一般在用电视电影镜头作客观报道时，是最忌讳未被事先指定安排好的拍摄对象直视镜头的。拍完以后整理素材时，凡出现这一类镜头的段落一般都会被删掉，偶尔没删干净，我们看放映出来的画面上有不该看镜头的人哪怕是只瞥了几下镜头，也会感到别扭，会认为那主儿"傻帽"。

由这件事，我联想到人与人之间的某种差别，似乎可以这样说："人大体而言分为两种，一种，是有资格在拍摄时直视镜头的——他们基本上属于要人或名流，如1993年春节电视里有一个挺长的关于电影明星巩俐的专题节目，在那节目里就有她直视摄像机镜头讲话的很多段落，节目制作者希望她那样，她自己也很自然地那样，观众不消说非常喜欢她从荧屏里直视着荧屏外的自己娓娓而谈，这样就仿佛一对一地促膝而坐了。另一种则是在被拍摄时没有资格直视镜头的人，他们的被摄入，坦率地说，只是作为一种背景，或更冷酷地说，是作为一种活动的布景，如此而已。我们在电视上经常看到一些很精彩的表现芸芸众生的街景，那一般都是记者把摄像机隐藏起来，偷拍的。故事片《秋菊打官司》里的街景，基本上都是偷拍的，恐怕那些被拍进去当做活动背景的老百姓，有的至今还不知道自己为这部片子在国际上夺得大奖起了很大的作用，就是后来能在电影院里看这部电影并在银幕上发现了自己身影的人，他们一定也会大吃一惊，闹不明白自己是怎么被拍上去的。偷拍的最大优势，就是几乎不会发生被拍摄者看镜头的麻烦。在非偷拍的情况下被当做背景拍的无名之辈，凡自己大惊小怪或刻意作态的，以及去看镜头的，最后大抵都出不了镜，反之，只当没那么一回事儿，该怎么样还怎么样的，不去看那镜头和拍摄者的，被展现在屏幕上的几率却很高。

我这样来把人加以"群分"，并没有什么恶意。人与人在名呀利呀或其他一些方面的差别是一种客观存在，目前那之间的差别不难举出许多极悬殊的例子。但人与人无论在名和利等等方面有多么大的区别，他们在人格上是平等的。我现在想说的是，属于暂且还只是要人名流主角那个层次外的普通人，应戒除虚荣，多一点自我尊严，少一点大惊小怪，懂得那镜头瞄过来只是把自己作为"背景"之一部分以后，能做到自觉地不去看镜头，即使那拍好的东西正式放映出来时，在屏幕上出现了自己，也完全用不着激动，顶多一笑，也就足矣！我这番话的深意，当有读者能悟之。

现在就笑

朋友小秦下海当了经理，忙得不亦乐乎，有一回我在王府饭店前堂遇上他，他匆忙跟我握手，握完就要走，我叫住他："你再忙，也可以多说几句话啊；再说，你哪儿就至于满脸的……怎么说好呢，就跟上了阵的斗鸡似的……"到底我当过他几年老师，所以我这么说他，他也不恼。他对我解释说："不可，商场如战场，现在是鏖战正急，哪有心思说闲话，更没心思笑……我呀，抱定了主意，我要跟他们较较劲儿，我要笑在最后！"

"看谁笑在最后"，和"不想当将军的士兵不是好士兵"一样，都是舶来的格言，"他山之石，可以攻玉"，有一定的参考价值；但无论是完全国粹的古训，还是这类的"他山石"，我们都千万不能完全掉在里头，让其如一缸盐水般把我们腌成老咸菜。

"看谁笑在最后"，是一种在竞争机制中立志要登上宝塔尖的誓言，而且，此话更多地用于你死我活的政治斗争中，听来确实有点惊心动魄的味道；人如无志，光会傻笑贱笑乃至于卖笑，那叫窝囊废，简直是贱骨头。在那种情况下，一旦惊醒过来，寡言吝笑，不立出一番事业决不罢休，或以"看谁笑在最后"为激励自己的格言，当然很好；不过，我们绝大多数普通人，不但没必要心情沉重地投入政治活动，就是在经济生活中，也完全没必要立一个宏伟的目标，把自己搞得不到"最后"就不笑。我们可以从一些报刊和书籍中读到，某些政治家固然在政治生涯中取得了极其伟大的业绩，可是他们的个人生活，却包含着明显的悲剧性因素，作为政治家我们对其无比敬仰，作为人我们只能对其唏嘘悯惜；某些大富豪也是一样，从积累财富的角度他可能终有一笑，但从人生的家庭亲情爱情友情闲情怡情等角度衡量，他就很可能使我们感到是一个孤独的心灵穷鬼。

人各有志，谁也将就不得谁，非奔着"最后之笑"而去，也只好由他，我们并可为他默默祝愿；但我不仅劝小秦，也劝大多数的青年朋友，活得更洒脱一些，不必把心弦儿绷得那么紧，何必要到"最后"再笑？请现在就笑！

现在就笑的理由很多：

为今天的一点成功——尽管可能只是一点点；俗话说："人比人，气死人。"如果总是拿自己的成功跟别人的业绩比，那么你永远会郁郁不乐，因为无论你的成就有多大，这世界上总有比你更出色的角色；你应该惯于自己和自己比，一个懂得努力并付诸实践的人，他必定能经常用现在的自己和过去的自己比，即使不是天天，那他也一定会常常发现自己的进步，从而为自己的点滴成功而心旷神怡。

除了事业，你的生命存在还有别的许多乐趣——据说某富翁财富在世界上排名第101，其实这已经很了不起了，但他却整日沉浸在焦虑之中，不仅面无笑容，连为自己买一件新衬衫都无心情，他的妻子为他买来新衬衫，只能瞒着他，偷偷放进他的衣橱，让他"无意"中把那新衬衫当做旧衬衫穿上身，还得提心吊胆，生怕他发现后勃然，真有点"伴君如伴虎"的劲头；你说，你愿过那种生活吗？即使你完全没有那么富有，甚至只不过是温饱而已，你闲暇时同妻子一起，兴致盎然地去购物中心，为你自己和妻子选购一件可意的衬衫，那乐趣，怎见得就比"最后一笑"差劲呢？

说到头，人是生活在心情中；事业上的成就，名和利，如果不能凝聚为一种快乐的心情，特别是如果一定要把那快乐远推到"最后"，在大量的生命流程中只有紧张与焦虑，那么，即使名利已至，亦太悲苦。因此我劝每一个朋友：事业心不可无，亦不可苟；最后的笑固然诱人，不如笑口常开，请现在就笑！

过家家

现在的儿童玩具是花样越来越多，也越来越高级了；不过，似乎武器类和变形金刚等新潮玩具占了大多数，所谓"过家家"的玩具，淹没其中，不那么引人注意了。

不知现在二十郎当岁的小伙子大姑娘，小时候玩没玩过"过家家"的游戏，"过家家"的玩法也很多，一般来说，女孩子是用洋娃娃当自己的小孩，给她换衣服哄她睡觉，或用小小的厨具，做出种种炊事姿态，沉浸在模仿母亲的快感之中；男孩子"过家家"，多是用各种小家具，布置小房间，当然也有玩娃娃、模拟做饭的；有时"过家家"是男孩女孩一起玩，他们在这种游戏中，埋下了对日后安于过"小日子"的潜意识，应当说，这是一种对社会发展有益的儿童游戏。

我这样肯定"过家家"的游戏，很可能为某些年轻人所嗤笑。有一位年轻朋友就针对我这一观点敲打我说："人类都进化到什么份儿上了！现在不仅国外，就是咱们中国，离婚已经成了家常便饭，单个的男人或女人带着孩子过，已不是什么稀奇的事；何况还出现了许多的单身贵族——就是根本不要结婚，也不要什么小家之乐的人士，何必要孩子？人类种族的繁衍跟自己有什么关系？不承担那个义务！自己做什么饭？有的是快餐店，大不了买盒'康师傅'方便面什么的，填饱肚子就得！想'打牙祭'，那就去高档餐馆撮一顿不结了！至于感情乃至于性方面的满足，不时逢场作戏，缔结一些露水姻缘，也就其乐融融！所以，'过家家'是一种落后的儿童游戏，依我说，干脆别再生产那些破玩意儿算了！"

当然，对个人的情感和生活方式的选择，只要是在宪法和法律的范围之内行事，都应悉听尊便。不过，我有一种感觉，就是一些年轻人，他们对自己生活方式的选择，更大的程度上，不是出于自己的天性，而是出于一种追逐新潮的心态；对新潮，我本人一贯采取慎重的尊重态度，我以为年轻人的追潮，总体而言，起到了推动社会生活丰富多彩的良性作用，不可滥加阻止；但我又觉得，相当不少的年轻人，他们对世事的了解，有片面性，尤其对外部世界特别是西方世界的社会生活，往往产生出不少的误读。比如，现在通过报刊和某些书籍还有视听传播工具，使我们眼界大开，知道西方社会中离婚率很高，同性恋已趋于公开化，自愿不结婚过独身生活的男女挺多，性生活相当开放，有公开出售的色情读物，有专营色情消费的红灯区，有性商店，有妓院，有赌场，等等；特别是有一种"后现代"的理论，充满反叛意识，尤其是反文化，反规范，反道德，听来过瘾，学起来似乎也容易……我想我们的传媒报道这些东西，有的，可能是出于批判的目的，意在告诉大家特别是年轻人，西方社会何其混乱、堕落；有的，可能是出于满足大家的好奇心，以使自己的报刊书籍更畅销，多赚钱；当然，也有力图通过这种介绍，辅之以分析，让人们更全面地认识世界和人类的——可惜这样的还不够多；由于准确地认识西方社会并非易事，包括一些已经去了西方国家的中国人，他们置身其中亦往往不得其髓，所以，国内的一些年轻人对西方社会产生误读，也就并不奇怪。我也算去过几个主要的西方国家，不敢说很懂得他们，但我总算知道，他们社会的主流意识，是极重视一夫一妻的家庭的和谐与稳定的，他们离婚时，往往也很痛苦。美国获奥斯卡奖的电影《克莱默夫妇》就因表现了这一点而大受欢迎，同性恋固然趋于为社会容纳，导致艾滋病蔓延的乱交却被广泛否定，自愿独身的人虽有，"我想有个家"却仍是最大多数人的想法，色情读物和色情消费有严格的法律限制，比如被人们视为最开放的西方大都会纽约，那里的法律是禁止妓院的，也不许开赌场，纽约人要赌，需开车去新泽西州的大西洋城。而"后现代"的理论，也仅是流行于某些大学课堂的时髦货，并没有覆盖整个的西方文化……我当然也并不是说西方的趋于稳定的基督教新教文化就一定比它那反主流的文化好，我只是愿提醒年轻的朋友们，怎样安排自己的生活，还是应从自己置身的本土情况出发，特别是从自己的天性出发。

　　而从"过家家"的儿童游戏，我们可窥见绝大多数的常人，都有一种潜在的过小日子的天性，我以为男大当婚、女大当嫁，组成小家庭之后，以小时候"过家家"的兴致，乐乐呵呵地吮吸"自己的家"所派生出的琐碎而凡庸的乐趣，是在世为人的一大享受，当此社会大转型之际，也唯有"我的家"这只小小的航船，才是我们心灵的避风港，我们从这里出发，去社会风浪里搏击，我们回到这里，作甜蜜的憩息；那些发誓不成家的男男女女，他们的潜在损失，真是不小啊！

福斯特戒酒

福斯特是我的德国朋友，他和夫人玛丽是我多部作品的德译者，交往已有 10 多年了。因为吃汉学这碗饭，他和玛丽自然都常来中国，近几年因玛丽要在家照顾两个女儿，所以都只是他一个人来。他来北京，少不了要到我家小聚，聚时照例要喝酒，有时他自己拎一瓶洋酒来，打开与我同饮，更多的情况是我用自家的酒招待他。他不仅善饮洋酒，亦极嗜中国酒；白酒他并不崇拜茅台、五粮液，独钟情于红星牌二锅头；黄酒他喜欢坛装的"加饭"；菊花白、桂花陈、竹叶青一类的酒他也能喝，喝起啤酒来那就更"没治"了——他出生在巴伐利亚州，那正是德国的啤酒之乡。

福斯特可谓豪饮之徒，但我与他一起喝酒，感到很愉快，因为他只是随其自然地喝，绝不跟我互劝互让互拼互赌，当然也绝无频频碰杯空称友情徒颂吉祥一类的举止；而且他无论喝了多少酒，脸不见泛红，眼不见变浊，舌不见打结，反倒更显得思路敏捷、言谈风趣，许多灵感的火花、如珠的妙语，都是在与我对酌之中爆发出来的，也常常激活我的想象力与思辨力；坦率地说，招待福斯特喝酒也比招待许多中国亲友喝酒省事——因为他喝酒就是喝酒，不用吃菜，至多当中拈一点儿果仁佐酒，没有果仁，有爆米花也行。

前些日子福斯特又来中国，一到我家便宣布他已戒酒，我开头以为不过是说说而已，谁知他果真滴酒不沾，连啤酒都不喝，只求我给他沏上热茶。

我便问福斯特，是否身体有了毛病？是否医生让其戒酒？我的思路，只停留在肉体的器质性功能上，我心目中的医生，也只是一般的内科医生；但福斯特告诉我，他的身体毫无毛病，但他自己前些时忽然意识到，他的心理状态欠佳，而且与饮酒有关——每当饮酒时，他便变得亢奋而过分自信，浸润在一种空幻的成功感里，但酒后需要写作或翻译时，面对电脑，却产生出一种拂不去的烦躁与厌倦，这样便往往又放弃工作而复归于饮酒……他说结果是徒然浪费了许多时间，且同玛丽多次发生无谓的口角。因此，他自觉地去找了心理医生，心理医生与他详谈后，建议他戒酒，并帮助他拟定了具体的计划与方式，他现在按那计划实施，自称两个月下来，心理状态好多了——特别是能清醒地对待自己的短处与境遇中的挫折，不让虚幻的自大感和成就感把自己弄成一种"光说不练"的状态。他说，也许他今生永不饮酒了，因为酒这东西或许对别人颇有好处，于他的心理机制，则事实证明只有负面的效果。

酒之功过，这里不论。福斯特毅然戒酒一事，使我惊悟：一个人除了精于自我的肉体保健，还需更精于自我的心理保健。自信感、自大感、成就感，过去我只以为不可无，而忽略了其不可虚。人生可无酒乎？我不愿作肯定的回答，但我要时时提醒自己：为了一个健康的心理机制，可戒除的，又岂止是酒这一种？

买不起看得起

北京几处高档购物中心里的货物价码已令众多的顾客见之心惊，现在又知道上海已有比"精品店"更高一档的"极品店"，一支唇膏标价人民币 1.2 万元，一条时装裤标价 2.2 万元，一条金项链标价 18.6 万元……令人更为惊心动魄的是不仅有这样的商品出售，而且亦不乏毫无犹豫忍痛之态的豪爽买主出没。

不要上推太远，就是 10 多年前，至少就城里人来说，固然收入也有差距，收入低的人进到商场也常慨叹一些商品的昂贵，"买不起"的心理活动也常引出一些酸咸苦辣的人生滋味，但总体而言，那"买不起"往往只是相对而言，无"绝对"之感——那时人们衡量一件高档商品的昂贵度，一般总用"相当于我多少年的工资"作为一个尺度，比如"一台 21 遥平面直角日本原装彩电相当于我两年半的工资收入"，心理上当然是极怨其"宰人"的。不过毕竟并非"高不可攀"，咬咬牙，紧紧裤腰带，或先向亲友借些个不收息的钱，买上一台还是不成大问题的。

但如今岂止是"极品店"、"精品店"里的东西，就是一般的"服装世界"或"家电乐园"里的商品，工薪阶层也再难用"相当于我多长时间的工资收入"来当做一个心理量度。比如一条国产的真牛皮皮带，比进口的"花花公子"、"鳄鱼"、"金利来"等名牌货便宜了好几倍，只相当于你半个月的工资而已，但你能毫不犹豫地买下它吗？而且如今什么都讲究配套，就算皮带只用中档的国产真牛皮的吧，那么，裤子呢？恤衫呢？袜子呢？皮鞋呢？手表呢？……全用只相当于你半个月或一个月工资的代价武装起来，不过仅达到"中不溜儿"的"派头"，如你并无很多"外快"，又岂是容易做到的？

对于广大主要还是依靠工薪收入度日的中国人来说，买不起的东西是越来越多了。但买不起就不去买它也罢——问题是不少人面对着种种"绝对买不起"的商品，开始出现了相当不轻的心理障碍，心里梗上了一个"买不起"的情结，因而闷然惶然悻然愤然，不禁责问：为什么要这样卖？什么人在买？这样卖下去成何世界？那种人买下去成何人物？……

在这社会大转型的时期，所出现的事物或符合事物发展的客观规律，是一种良性征兆；或虽有悖于事物的正常发展轨迹，却难以完全避免，是一种待疗治的病状——不仅我们凡人难以一时判断清楚，就是智者圣贤亦难遽作结论。因此，我主张心平气和，静待千万人的共同实践经过一番加减乘除融合消化，自然地平和地容纳下那些良性的事物，筛汰掉那些劣性的事物；比如面对越来越多的发售一般工薪阶层乃至一般个体户心理上也未必能接受的"买不起"的"极品"，就至少应有一种"买不起看得起"的宽容和坦然心态。所谓"看得起"，不是"看它横行到几时"的意思，而是"见怪不怪，听其自然"的意思——相信只要整个社会建立起较为健全的市场经济秩序，"极品"之类事物的存在数量及存在方式，终会定位到一个恰当的社会空间中。

尊敬实业家

现在发财的故事很多，发财在政治上已非罪恶，在经济上是公认的目标，这我大体上都还明白。但发财的种种故事之中，至少有两种我还弄不懂该如何作科学的评价，特别是将它们对比着评价时，该如何把握那标尺，我就简直懵然无知。

一种，是关于通过炒房地产发财的故事。据说有一块地皮，在同一座宾馆内，在同一天里，就升值了10倍，先是3楼的一家公司以1000万元买进，旋即转卖给了5楼的一家公司，开价是3000万元，后敲定为2500万元，5楼的刚买下，又有刚下榻8楼的外地一公司赶来争买，结果以6000万元再次转手。8楼公司一个电传，又以8000万元卖给了他们所在地的一家公司，这样倒卖了几次，终于最后以1亿元卖落在一家公司手里——据说那公司也并非立意于自己开发，握在手里，还想再转让给另外的公司，以期从中尽可能拧出最后的油水，这个炒卖游戏，据说最后一家可能倒霉——因为再无人买，砸在了手里，本不愿开发，只能强作开发状，如被有关部门按现行规定查验，那就很可能"翻车"——但除了那最后的"傻大胆"外，中间几层公司，都俨然在一夜之间暴富。有一位至少是比我懂经济的朋友耐心地为我解说，称这种现象的出现不但是不可避免的，而且是有其良性功能的，当然有关的"游戏规则"亟待建立与完善——不管怎么说，资金流动起来了，总比呆滞在那里强，这是一种刺激经济繁荣的手段云云。但依我凡人的俗见，总觉得尽管有那么多公司赚了大钱发了横财，但那块地皮依然还是块空地皮，上面什么也不见增添，心头还是不免闷闷然。

另一种，则是兴实业的故事。兴实业靠的不是"现炒"，有时简直还要从盘灶生火开始，一步步地来，其间仅市场调查、技术引进、设备购置、员工培训、产品宣传、供销配套等环节，就都非从这层楼跑到那层楼，使用几次"大哥大"或电传机，签几次合同转几次账号便能"立竿见影"获得效益的。而且有的产品虽已打出了名气企业虽已走上了正轨并稳步地发展，但到了年底一算，纯利润也依然难达 1 亿元，比起那些一夜之间可以"炒"出几百万元几千万元的人物来，他们似乎不仅寒酸，而且也颇为"傻帽"。

但我从感情上，还是尊敬实业家。不管怎么说，即使是站在他兴办的那实业的远处草草一望，你毕竟看见了实实在在的厂房，你毕竟可以想见那里面正在为中国增添一些新鲜的东西，并且那地方为若干中国人提供了就业的机会，那里的人们创造着一些看得见摸得着并且我们可以直接或间接分享的社会文明。

有一回坐汽车路过一处地方，同车的朋友指着窗外一大片空地说："知道吗？这块地身价一年里提升了 10 倍！"我只是发愣。后来又路过一片厂房，他指着告诉我说："经理急得头发都稀了——海外市场那块让人家给馋了，现在得另想辙，开发新产品哩！"我心中涌出一种莫名的尊敬，近乎悲壮的情怀。读者诸君，你们不以为怪吧？

技术性问题

应邀在中央电视台的《东方时空·焦点时刻》节目里侃了9分钟，话题是"为什么诺贝尔文学奖与中国作家无缘"。播出后有各种反应，有一种意见是：讲的只是些技术性问题而已！诚然，9分钟的时间，也只够把技术性问题讲清楚，如要讨论"实质性问题"，不仅时间不够，也非那样的电视节目所能承担。由此我想到我们中国人的一种处理事务的习惯，就是嗜好"务虚"，面对一事，先要"正名"，"名不正言不顺"嘛，为了"言顺"不惜大量的时间和人力，反复讨论"实质性问题"，有时真是讨论得死去活来，不亦乐乎。把技术性问题撂到一边，认为无足轻重，结果即使实质性问题大体上有了个水落石出，真行动起来，也还是不能达到预期的效果，因为要做好一件事，把技术性问题解决好那是非常非常重要的，万万轻视不得啊！

比如改革开放中开辟经济特区的问题，如果总在那里没完没了地讨论姓社姓资的问题，不实行"不争论"的方针，会有今天这样的丰硕成果吗？另一方面如果只是兴冲冲地上马，不扎扎实实地解决一系列技术性问题，那也是不行的——近来有的地方大搞经济开发，并没有人跑去同他们争论姓氏问题，不也有弄得一片混乱的吗？他们那里，很可能就是没有认真地细心地解决一系列的技术性问题。在当今世界上，技术对人类具有极为重要的意义，所谓技术性问题，不仅指具体的科学技术，还包括非常重要的程序问题，这里面又有个掌握信息和利用信息的问题，不解决这些问题，成功的可能性几等于零。

　　且不说国家集体的大事,就是我们自己在生活中的小事,技术性问题的解决也非同小可。比如前些时我有一位多年不见的亲戚难得地从远方来京,我们都忙,不可能天天相聚,因此相约在他离京的前一晚见面;结果我跑到华侨大厦去,没有找到他,急切中才想起北京有另一家华侨饭店,可见是他打电话时由于不熟悉情况把住地说差了,而我当时也未注意核实;我赶到华侨饭店,从服务台得知他确实住在那儿,但他既不在客房也不在大堂,我连餐厅酒吧也去找了,"黄鹤知何去,剩有游人处",杳无踪影,只好闷闷地打道回府。谁知楼下传达室的人告诉我,我那亲戚敲不开我家的门,便在传达室坐了好久,不见我归,只好致谢而去;我心中过意不去,便又转身上街再叫出租车重返华侨饭店,咦,还是见不着他!在大堂里枯坐了快一个小时,已是10点多钟,便又只好怏怏地离去……夜里快零点我们才总算通上了电话——原来他从我们楼离去时,出租车司机听他的诉说,热心帮他分析,断定我是到华侨大厦找他去了,遂拉他到华侨大厦,那里的服务台果然证实有我这么一个人找过他,因此他就在那大堂里苦苦地等我出现……我以为这件事构成了一个当代寓言:往往并没有不可克服的阻力乃至于并无阻力,我们与成功仍"缘悭一面",那缘故不是别的,就在我们没有事先解决好至关重要的技术性问题。

消化误会

人生在世，被误会是在所难免的。我以为，只要不是给自己造成了很大的名誉、经济损失，更不是令自己陷于冤案，一般泛泛的误会，就随他误会去好了。

今年《中华儿女》第 3 期上，有我一篇文章，题曰《为了尊严，我不下海》，好几位爱护我的朋友读了都来为我担忧："你那文章是好的，只是这个题目容易引起误会，有人看了一定会说，难道人家别的作家下海，就是丧失尊严吗？你这一个标题，得罪了多少人呀！"我那文章的标题原为《跨过 50 岁的门槛》（该杂志海外版保持了原题），编辑发稿前电话里告诉过我，拟改现题，我明确表示同意——虽然我那文章里没这么句话，但就我自己而言，目前的状况确实是靠写作尚能维持一种有尊严的小康生活。我写作，除了爱写，也是觉得当个作家挺有尊严的，我以为这是我敬业的心态，我自说自话，没涉及别人，倘偏误会，也就由他去误会，我不仅绝不怪罪改题的编辑（我认为那是百分之一百的善意，是为了支持我"写下去"），如果真得罪了人，那我愿承担全部责难。

我以前遇到被人误会，除了忙于解释（有时给予解释倒也必要），还总有两样东西坠在心上，一是热切企盼误会我者给我一个误会冰释的信息，一是为自己在人家心目中从此不完美而烦恼，现在想来实属可笑。误会者误会你，那是他的权利；误会者却并无一定向你宣布解除误会的义务。除非那误会招致了你们之间的法律官司，但就是法院宣判了，向社会消除了对你的误解，那误会你者迫于无奈地公开发表了一个什么申明，他死不给你个真正的"冰释"，你也只好认头。西方的一些哲人，如存在主义者萨特，他干脆认为"他人是自己的地狱"，就是说他人误会你不仅是必然的、命定的，而且哪里仅仅是对你误会——在他人眼里，你简直就是阎王爷刀砧上的鱼肉，爱怎么歪曲你就怎么歪曲你，爱怎么宰割你就怎么宰割你，你除了忍受煎熬，别无出路！这种人际观当然是太悲观了。不过，别企盼人家永远理解你，尤其是别企盼别人时时、事事准确地理解你。把遇到误会当做家常便饭，把误会大体消除当做赏心乐事，永不追求"冰释"的"极境"，这是比较恰当的处世态度吧！

说到完美，首先，一个人不可能完美；一个人追求在他人的眼中完美，那更是虚妄的事；误会固然使我们在他人眼中失去完美，却并无碍于我们自身的朴实存在。

总之，对于一般性误会，我主张吞进去，消化掉，不必太在意，心上尤其不要坠着自设的"秤砣"，应潇潇洒洒地继续自说自话、自做自事，那误会不申自消也罢，依然飘荡也罢，由它去，穿过误会的烟雾，走自己的路。

其实，进一步想，在蒙受着别人误会的同时，我们又何尝不在至少是无意地误解着别人？人与人之间，误会原是不可能全然杜绝的啊！增加我们的社会"胃纳"，把无伤大雅的误会，吞进去消化掉吧！

自我感觉

"瞧他！自我感觉那么良好！"

"哼，岂止是良好！简直是自我感觉优秀！"

这当然都不是什么好话。

一个人的自我感觉，呈现于外，溢于言表，这本是很正常的事，但在我们中国，在许多情况下，正常的自我感觉表露是不受欢迎的，会被认为是不得体，"露怯"，"翘尾巴"，"张狂"，"德性"，讨厌！于是不慎把自我感觉流泻出来的人，便往往遭到背后的非议乃至当面的讥讽，有时这人本是兴冲冲的，被人一撇嘴、一甩话，顿时如遭雨淋雷击，那自我感觉便迅即萎缩乃至消失。

也怪，在我们的社会生活中，被"斥退"的自我感觉，主要是"良好"和"优秀"，自我感觉如属"中庸"或"不佳"，则会被认可为"正常"，因此，如要不招人讨厌，最好是明明很自信、很自尊、很愉快、很自得，也都只藏于心而绝不形于外，在人前，永作感觉"一般"状，用一句粗俗的话，就是你"要想人缘好，天天装孙子"！

当然，不能以偏代全——并非都是如此，不过，压抑个人的自我感觉天然流露的事儿，确实不少，而且，可怕的是，细细一想，我们一方面被别人压抑过，一方面也有意无意地用"嗬，自我感觉真良好啊"去败过别人的兴、压抑过别人，难道我们真的愿意生活在互为"孙子"的氛围中吗？叹叹！

从某种意义上说，一个人，他就是生活在心情中，也就是生活在自我感觉中，心情愉悦，感觉良好，对他个人来说，是心理健康、生活向上的标志，对他人，是一个容易合作的良性因素，对社会，他的破坏性必然趋向于弱小乃至于为零，因此，对于一个人由衷地表露出良好的自我感觉，我们实在是应该维护，而绝不应该泼冷水，最好的对待方式，就是听其自然、不予置评，如果心里还能为他有那么好的自我感觉而庆幸、而高兴，那更善莫大焉！

人的自我感觉，确实往往不能客观地反映出他在人群中、社会中的实际水平，但一般来说，这种外露对群体、社会的危害性不大，有些这样的"感觉"与"实际"的脱节，如一个人唱卡拉 OK 明明很蹩脚，他自己却极投入极自美，是完全用不着去"戳穿"的；当然，如果他的自我感觉失度影响到他人、群体乃至于社会公众的利益，那就需要帮其校正——但也不能用讥刺的办法、压抑的办法、使其成为"孙子样"的办法，来解决问题。

我认为，应当培植这样一种社会风气——对所有坦诚表露的"自我感觉"，都首先取一个即使不那么欢迎也至少是容忍的态度，而对那你始终闹不清他是怎么一个感觉的人，倒无妨多留个心眼儿，对那动不动"装孙子"，自己的"底儿"纹丝儿不露，又在看清了别人"底儿"以后讥讽、压抑别人的"良好感觉"的主儿，则倒无妨抽不冷地撂他几句足令他抱惭而退的话！

照眼儿

附近胡同里又出了一起少年斗殴事件，起因，又是因为甲认为原不认识的乙跟他"照眼儿"，他于是问："你丫的干吗……？！"对方毫不示弱："照你丫的又怎么着？！"于是风云突变，酿成恶战。这类事，不仅在北京，外地也有（挑衅的语言有所不同）。我知道凡因"照眼儿"而大打出手的双方，大约都是不读我这"品味生活"的，但仍愿在此剖析一下他们的心态，并盼这类的衅端能减少乃至杜绝。

不许别人对自己"对眼儿"即直视，据我想来，大约来自一种"拔份儿"的心理。而只有在一个靠蛮力和强迫建构起的等级社会圈中，"份儿"即圈内级别，才取决于敢不敢拼命的劲头，"拔"将上去。说白了，这是流氓圈里的"规矩"：所有的喽啰，必须在"龙头"面前低下眼睛，不许直视，而如果火并起来，"就他妈照你丫的了"！大打一场。于是"胜者为王败者服"，有可能形成新的龙头统治，在那新"龙头"面前，被打服者又必须低眉顺眼，以示效忠。这实在是社会人际关系中最令人厌恶的糟粕。

许多不谙人事的少年，他们把这糟粕当做光荣，因"照眼儿"斗殴，或见血致伤，或"进局子"被处罚，乃至竟因此而丢了小命，实在是划不来；我们应想方设法告诉他们，靠不让别人直视自己眼睛而"拔"出的"份儿"，实在一钱不值。一个人的价值，应建筑在他为人类和世界——说小一点，是为他周围的人——所做好事上；一个人的尊严，更应体现为他不但不怕别人直视，而且，他是很乐于与人平等对视的！

人在社会中生活，不可能不和别人的眼光接触。当然，同熟人的眼光接触，那往往是不难处理的——亲朋，自然笑面相迎，倘是多年不见后巧遇，那还会"惊呼热中肠"；一般的同事、邻居，可以礼相待，微笑点头寒暄后，眼光自会移开；合不来的，也无非来个视而不见，飨以"冷面"。在文明人当中，即使是政敌、宿怨，一般也很少"怒目相视"，最超级的蔑视，是"透过对方身体看远方"，所以不至于取市井流氓的办法，以老拳相见。

问题是，我们毕竟不可避免地会和陌生人的眼光相遇，这时，可有三种办法处理：

1. 微微一笑，稍稍点头；即使对方不予理睬，甚至于冷面移目，亦我心自安。这一般应是在比较文明的场所，如剧场影院、宾馆饭店等处。

2. 发现对方眼光与己相连后，迅即把自己眼光移开，并要特别注意：一旦移开后，千万不要下意识地回移，否则，遇上那专从"你干吗跟我照眼儿"开始挑衅的主儿，你可就麻烦了。在路上、公园、公共汽电车中，一般应取此法。

3. 如在注视对方后，对方发现并表示不快时，立即道歉："对不起，我认错人了！"一般来说，即使是惯于无事生非的人，对能主动客气的人，也就减轻了攻击性，因为他会以为你"怵"，让他得了"面子"，不再纠缠；最忌对方不快或质问时，答曰："怎么着？看你一眼怎么啦？看在眼里扒拉不出来了吗？"许多无谓争斗，便由此而起。

如何调解人际之间的"照眼儿"，看来也是一门学问。愿社会学家们，拿出更好的"说法"来！

自己挂帆

前不久去参观了一个生活日用消费品展览会，在一个摊位，看见正出售一种新颖的钥匙链——有机玻璃的心形密封扁盒子里，装着一些碧蓝的液体，象征大海；"海"上浮着一只帆船，不管你原来怎么样旋置那颗"心"，一旦捏住钥匙让那颗"心"垂直，"海平线"一定稳定，那小船也一定高悬风帆，呈"乘长风破万里浪"的态势。看着实在可爱，我便买下一只，因为我原来的钥匙链正好坏了，所以刚买得，我便一边往别的摊位移动一边弃旧图新。叵耐那新链子的套圈很紧，钥匙很难穿进去，我情急中，一不留神，把新钥匙链掉在了大理石地板上，拾起来一看，啊呀，那颗"心"虽然没有碎，里面的船和帆却分了家！仔细看，那里面的船板上，是有一个极小的套环的，而帆的最下面，又是有一个可以恰好弯进去插入的小棍的，显然，是在一摔之中，小棍从套环里脱落了出来；我本能地轻轻摇动那颗心，企图让那帆的小棍回插到那船板的套环中，哪里那么容易恢复原状！

正当此时，忽然有人招呼我，抬头一看，原来是一位多时不见的老同学，他惊异地问我："咦，你在这儿干什么啦？"我有点尴尬，不免掩饰地说："……刚在那边买了个钥匙链，你看，真逗，它里面的船和帆是分离的，可是你用来用去，说不定哪天帆就稳稳地挂到船上了——我想，厂家这样设计，也许是为了让消费者自己在完成挂帆的过程中，得到特殊的快乐吧！"他就从我手中取过那钥匙链，仔细看，又轻摇，试图挂帆，自然没有成功。

　　我们又说了些淡话，便各自又去继续参观。

　　我在那展览会转来转去，没多久，又转回到那个卖钥匙链的摊位，嘿，那儿的生意竟火了起来！我买的时候，可冷清得可以……又发现那儿似乎不大正常，一些顾客在和售货员争执，我那老同学，挤在最前面向售货员质疑，售货员很委屈地解释着，可顾客们不依，好古怪！我就走近跟前，一看，一听，呀！真哭笑不得！

　　原来，挤在那儿的顾客，都要买那"心"链，可售货员递给他们的，他们都不满意，因为那些"心"链里的小船，船帆全都稳稳地插在船板上。他们问："有没有可以自己想办法挂帆的？我们要那样的！"售货员说："都是这样的呀！"就遭到"上帝"反驳："有人明明在你们这儿买到了比这种好的！为什么不多生产点那种自己去挂帆的？！"

　　你们说，我闹明白了以后，除了为自己的小谎而惶愧外，还有什么样的心情？

　　我有一种由衷的欣慰！为什么？我从这偶然派生的小镜头中，发现了处于社会转型期中的国人的一种良性心态——宁愿自己挂帆远航，哪怕掺杂着某些宿命的因素，也要主动迎上去碰碰自己的运气，并以此为乐！对于已经挂好的帆、煮好的饭，他们不是不喜欢，而是已无依赖的意识，尤其不认为有什么新奇与乐趣！

　　朋友，如果那"心"链确实有两种设计——一种是挂好帆的，一种是自己去试着挂或任其在偶然中碰挂的——你更喜欢哪一种？

男扮女妆与女扮男妆

究竟"男人的一半是女人",还是"女人的一半是男人"？若据《圣经》，则上帝造成男人之后，又敲下男人的一根肋骨做成了女人，似乎"男人的一半是女人"基本成立（因一根肋骨不是一半，故曰"基本"）；但若据人的孕育、出生实况，则一切男子均孕育于女子子宫之中，并在那里发育至呱呱坠地之时，故"女人的一半是男人"的说法更为贴切。不管怎么说，男人中有女人，女人中有男人，无论从胚胎学、生理学、性科学、心理学、社会学、伦理学……角度切入，都可作如是观。

因为年过半百，故而前列腺有些个作怪，导致尿频。去问医生，除给予细心检查、治疗外，还告知：这是因为男性的前列腺中有一部分具有女性子宫的某些特点，换言之，婴儿发育到一定程度，呈现性差别时，男婴的这一部分（称"苗勒氏管"）便不再发育，但随着男人的成长，一般年过半百之后，有可能雄性激素减少，而这部分潜伏的雌激素便会活跃起来，当然一般男子绝不会因此性变态。不过，那部分前列腺便会不必要地膨胀压迫尿道，从而派生出病痛。医生的话，不可不信。听信后不禁哑然失笑。又想到一些女性年过半百之后，会在上唇浮出些个隐约可见的胡须，甚或喉结较为显露，那当然是原来潜伏的雄激素分泌所致了。男女之间的区别，果然并非那么森然有序，内分泌这一环节上，就共见雄雌，只不过大多数的人，那数量之比悬殊在一定幅度之内罢了，稍有多余或欠缺，可导致一些一般的病症，倘大紊乱大倒错，那恐怕就会导致"不男不女"的后果了！

　　报载如今北京已有手艺高明的外科医生，为迫切要求变性的人做变性手术；据说那样的人倒未必是因为生理上有什么太怪异之处，内分泌也未必失调到雌雄颠倒的地步，主要的症结在于心理上有一种痛不欲生的积郁，必得干脆改变性别，方可续度年华。撰写这一报道的记者援引医生的话说，社会不应对有变性欲的人和实行了变性手术的人歧视，之所以根据他们本人坚定不移的欲望给他们做变性手术，乃是出于人道主义的考虑。我对这样的人确实没有歧视之意，但我承认尚不能理解这种甘愿在手术刀下改变自身性别的强烈心理。面对这类的事实，我只感到人性的神秘。

　　中国的封建社会，戏曲演出一般不允许男女同台，于是出现了分流状态——如晚清在北京形成的京剧，长期全由男人扮演，于是有男扮女妆的名伶出现，早时不说，跨越了清末民初和新中国好几个历史阶段并蜚声中外的梅兰芳，便是一个突出的例子；而在南方形成的某些剧种如越剧，则长期由女人扮演，于是有女扮男妆的名伶出现，也不去说早时，30 年前拍成的彩色戏曲影片《红楼梦》，近 10 多年仍经常在电影院复映并多次在电视中播出，那扮演贾宝玉的徐玉兰，知名度就极高。男扮女妆和女扮男妆因戏曲的影响，亦曾在上半个世纪从舞台之上活跃到舞台之下，那时候多有富家子弟，或因家长癖好或竟自生乐趣，在家中男扮女妆（幼小时尤然）；而一代著名汉奸川岛芳子，长期女扮男妆混迹各界，更是青史留迹，光是近年来就有不下 3 部电影把她当做主角或重要角色，当然都着重于渲染她的男妆风姿。

　　鲁迅先生曾写过关于梅兰芳的文章，语含讥讽，他是很看不惯男扮女妆的，说男看客大半着眼于"扮女的"，女看客则大半心中想着"男的扮"，我想他的意思是这种表演不利于一个民族的心理卫生，尤其是这种表演铺天盖地而来而又被吹捧入云之时。我个人对历史上已有过的男旦，如梅、程、尚、荀，直到如今尚健在但已基本不再登台的张君秋、赵荣琛等艺人的表演，是能够欣赏的，也许因为在心理上，觉得于我是一种"古玩"性质，有了"间离效应"，所以不作关于眼前生活的联想，无肉麻之感；对于较年轻的男旦（又非常之少，但亦遇上过他们的演出），我就难以抑制心理上的反感，尽管人家的艺术追求十分严肃，造诣也是不低的；我之所以不喜欢谢铁骊导演的电影《红楼梦》，很重要的一个原因，便是不理解他何以要让一个女演员来扮演贾宝玉？最近电视上播出香港拍的一部电视连续剧《白娘子新传》，亦由香港女艺人叶童扮演许仙，我看了几个镜头便难以忍受。

不知女读者们，是否喜欢男扮女妆的演出？我尤其想知道的，是她们是否喜欢女扮男妆的人物？据我粗略的观察，尽管绝大多数男人羞于被人指认为"奶油小生"，尤其厌恶"娘娘腔"的同性，但有相当一部分女性（也许是少数，但绝非个别），颇青睐于"奶油"型的男性，或喜欢呈现出一种"永远长不大"的娇憨面貌的"少年郎"；也颇有一些女性自身有一种强烈的男妆欲望，剪男式发型，穿与男性几无差别的运动装或牛仔衫裤，而且绝不羞于被称作"假小子"；但女妆女性对男妆女性的喜爱是否普遍，这种喜爱里隐含着什么心理秘密，于我来说，便难以猜测了。

据说日本有一种男人的俱乐部，交费加入的男人们几乎全是在各大机关大公司担当白领的体面人物，有时更有相当的官衔或是董事、经理一类的角色，他们那个俱乐部的"俱乐"内容，便是一进去后便纷纷换作女妆，然后大家作女性聚会方式作文明的交谈，尽兴后再换妆而散，回家后俨然伟男子一个。这种俱乐部，属上流社会的活动场所之一，参加的都并非同性恋者，他们只是在那活动中，将自己以男性意识为主的心灵中那被压抑的一些个女性意识，在这种与大社会和小家庭都隔绝的特殊空间中，用男扮女妆的方式加以释放和消解罢了，据说其效果很好，他们一般回到家中后，都更具有男性的风度与尊严。

但在现今的中国社会里，一般人对于自身中两性成分并存的意识都比较淡薄，当然就大多数人而言这种淡薄是有利而无弊的，不过就少数人而言，他们或惊悚于自己的某些"与众不同之处"，或放纵自己的变态趋向而不能自拔，更有本身倒无甚偏差，但糊里糊涂把儿子打扮成闺女"养着玩"，或把闺女打扮成小子以慰"无子之憾"的，其后果，都有可能导致悲剧；也许北京那几位能成功地做变性手术的医生可将悲剧变为喜剧，不过，代价是否过昂呢？

去看银杏树

妻从外面回来，把痴对电脑的我呼唤："你怎么还坐在那儿写、写、写，写个没完？！"

我头也不抬，手指继续在键盘上游动，应付地说："我喜欢写么……"

妻走近电脑，她的"场"盖过了电脑的"场"，她发出强辐射："你知道外头天气有多好！大好的秋光！刚才我穿过地坛回来，你记得那月季园边上的林荫道么？那两边的银杏树，金黄金黄……你为什么不去看看银杏树？"

妻撤走了，我在电脑前发呆。

心里是蹿动速度很快的意识流。还不是为了你们……"著书都为稻粱谋"……那些恶意的眼神……为对头吃鱼肝油丸……翻动自己作品的快感……黄山的"妙笔生花"……斯德哥尔摩梦一般的夜雾……电话催稿……明晚六点"明珠海鲜"……那桩糟心事……居然瞒着我……何时能办成……司空见惯……下一句是什么……全身抖擞一下，眼睛又盯住字幕。也就写了下去。

可是心里便嵌入了一个"异数"。

这一天也就那么写过去了。

第二天，醒来时照例已天光大亮。

妻已外出。想起来，昨天说过，她要去购物中心买羊绒衫. 想必已在专卖店里专注地检索。

仰 望 苍 天

在卫生间洗漱时，难得有那么好的秋阳透过毛玻璃照到身上。想起了妻昨天的敦促。

心上的那片"异数"应当钳出。

是的，难道非得写、写、写？

似乎我肩负着多么了不起的使命，似乎我守在电脑前的趣味有多么高雅、煞有介事！

吃完说不清是早点还是午餐的一杯热饮两片面包，毅然地穿上风衣，下楼，去地坛，去看望那林荫道上的银杏树。

原来北京毕竟还存在如此晴和的秋日。天竟如此地湛蓝。往地坛里走时，是一条平时我不耐其长的直路，然而这天我不时驻足仰望苍天，我惊奇，仿佛我是第一回体验到，北京的秋日天宇那么高，那么纯，那么一碧如洗，竟无一丝云一团雾来干扰，而且，与之相配的黄红绿紫的秋树秋叶，那造型我本嫌其过分端庄的坛门的绛红墙壁，忽然都在蓝得醉心的秋宇映照下获得了一种灵性，使我莫名地感动。

这么近，这么便当，我却很少来。我怪讶自己的拒绝美好。

不是休息日，又是中午，地坛里简直没有几个游人。我缓缓前行。我对古柏谢罪，我对跳动在草坪上的灰喜雀忏悔：的确，是名利熏心，是沦为了赤裸裸的社会人，太沉溺于对人事的爱憎，太追求所谓的成功，太严肃太沉重太矫情太钟情于形而上！

为什么不早几天来看那两排银杏树？

到了，到了。我可爱的林荫道。两排银杏树，静静地从甬路两边伸展着它们的枝杈，那是怎样的一片金黄啊！语言，文字，思维，甚至于情感，都无法彻底地、准确地、细腻地传达出体味到那映入眼、沁入心的一片天籁。

我漫步在银杏树的金影中。树上的柄柄扇形小叶在微风中摇曳．它们的深浅度并不相同，兼以阳光射入的角度有别，所以多姿多彩，光影婆娑；甬路上散落着飘下的黄叶，或稠或稀，点缀适度。我望。我嗅。我走过去，又走回来。什么也不想。不激动。不喜悦也不惆怅。

我只是亲近银杏树。银杏树默默无语，也不求交流。流连忘返，几乎忘记了时间，忘记了一切，乃至忘记了我自己。

……两个年轻的姑娘，从那边走了过来。一个穿着大红的风衣，一个穿着咖啡色的长外套，她们的出现，使我恢复了思维。红得真鲜丽，咖啡得真浓酽，谁派她们来，把这一片金黄衬托得如此魅人？冥冥中的天意？还有她们那身影远去而笑语愈脆的效应，谁使然？导演得这般好？

我依依不舍地离去。我知道今年我不会再来。再来也看不到一片金黄了。我毕竟是社会人。还要奔。要爱要恨要钱要脸要成功不想要失败而免不了还会有失策失态失败。还会在电脑上写、写、写，知道为什么和不知道究竟为个什么……

不过，不一样了。我的心里镶进了两排银杏树。那是1993年深秋，北京地坛的银杏树。我在这世界上只能享用一个1993年，一个1993年的深秋，一次1993年的地坛的那两排银杏树在那个中午秋阳下的风姿韵味。想到这一点我颇为惊奇。并且，当我在电脑上打出这篇文章时，我忽然有一种对自己这条生命的自我尊严感，真的！

1993.11.5 绿叶居中

两性在心理上平等吗？

　　在一般的家庭中，女性总是操持做饭、缝纫这两大"家庭工程"的主力。即使不是单枪匹马地独包独揽，乃至男性能与其分忧解劳，女性的烹饪手艺与缝纫手艺也算是大大超过男性的。但到了社会上，最高级的厨师，最出色的裁缝，却偏偏大半是男性，包括最受欢迎的理发师、美容师、花匠，也都以男性居多。明明是女性似乎占有天然优势的这些人类文明中的构成部分，随着舞台的扩大，女性的优势却不仅锐减，还终至成了劣势。这究竟是怎么一回事儿？

　　有人从生理因素上解释。比如烹饪，给一个小家庭操持饭菜，所需的体力自然不小，但总有限；而在大厨房中连续进行烹饪工作，特别是中餐的炒菜简直每炒一次都免不了要"颠锅"，那体力劳动的成分远远大过了脑力劳动的成分，一般女性的体力就难以支撑，唯有男性才挑得起那灶台的大梁了。所以，到头来大餐馆厨房里的高级技师，都是些男性，且大半又为粗胖的壮汉。

　　这自然也说得通。但细细一想却也未必。比如裁缝匠这一行，那体力上的需求，一般健康的女性似乎全可适应，而且女性一般比男性更专心更细致，似乎最佳的手工裁缝，还是不应以男性居多才对。实际情况，却恰恰相反，而且不论中国还是外国，也不论从前还是现在，除了少数地区，大多数民族中、国家里，高级手工裁缝的数目却是男性大大超过女性。

　　这究竟是怎么一回事？

西方一些"女权主义者"，自然又都归咎于当今人类社会的男女不平等，认为是由于长时期的"男性宰制"造成的。乍一听确有道理，不过冷静下来再一想，似乎这道理也不圆满。世界上的男政治家多于女政治家，男大亨多于女大亨，男教授多于女教授，也许真是由于"男性宰制"，压制了许多有杰出政治才能、经营才能、学术才能的女性，使她们努力奋争也终于不能出头吧，但又有多少男性非"宰制"着炊事员、裁缝匠、理发师、花匠这一类的"萝卜坑"，不让女性积极地往里头栽呢?

可见还有更深层的原因。

于是就有一些搞"女性主义哲学"的西方人士，提出了男性与女性在心理上有不同特质的论点。当然，就一个一个的男人与女人而言，那心理上的差异是不言而喻的。大概很难找到两个心理特点上完全相同的人，哪怕是在同龄的同性之间。而且反过来说，单就一个一个的人而论，某位男士的心理素质，也许会同某位女士的心理素质"何其相似乃尔"。因此，这里所说的男性和女性的心理特质差异，是就群体而言，就性类而言，是建立在科学测试和统计学基础之上的结论。

某些西方哲学心理学专家，例如所谓德国"新马克思主义"的"法兰克福学派"的代表人物赫尔伯特·马库色（Herbert Marcuse），他就认为男性大抵都具备一种"工具取向的行为特质"，活在一个"全体中心"的"公事世界"中，以工作成效为一切价值判断的标准，故而从心理特质上表现为客观化、分析性、理论化、概念化，重视逻辑推理，性格上蕴带着宰制攻击性；相反地，女性却具备一种"表达取向行为特质"，活在一个"个人中心"的"私人世界"中，以人际关系亲和性为目标及价值判断标准，思维方式则有主观化、统觉化、具体化的特质，重视神秘的直觉，性格上倾向于接纳性与依赖性。

用这种理论来阐释上面提到的现象，便可以认为并不是男性把女性排挤到了高级厨师、高级手工裁缝、高级理发师、高级花匠这类的位置以外，而是由于女性本身的心理特质，决定了她们不能忍受"不知这饭菜是做给谁吃的"却还要一道道炒下去的工作，亦不能忍受虽然清楚那衣服是为谁缝制的来理发美容的是谁以及那花圈是属于谁的……却不能与之有一种较深入的亲和性交流，以充分满足心理上的一种"小世界小人生"的温馨感和补偿感。因此大多数女性自觉地放弃了成为杰出的餐馆厨师、名裁缝、高级理发师和花匠这类表面上看来比较阴柔的职业。但女性的心理特质却又使她们在另一些职业领域,比如说护士这一行占了绝对的上风。因为护士这一职业最能满足女性毋庸培养和训练的亲和性心理——她们乐于展示自己天性中的温柔体贴和无边乞爱,而且凡需她们作为护士照拂的人,哪怕是最阳刚壮硕的男士,也一定非伤即病,因而她们得以将对男性的奉献精神,从中发挥到淋漓尽致的地步。那其实也就转化为了一种宰制——任何叱咤风云的男性英杰,在作为护士的她们面前都恍若俘虏,当然是"令人疼爱的俘虏"。

马库色之类的"性别心理说",虽将对两性问题的探讨引入了一个较深的层次,却也还不能令人完全折服。一些西方的"女权主义者"便断言,这种"学说"其实仍是一种"性别歧视"。她们认为,即使从当今世界的概观上和抽样调查中能取得丰富的材料以证明马库色之流的"学说"有根有据,但所谓"女性的心理特质",并非女性生而具有,分明是男性宰制的社会所形成的文化染缸,将女性的心理污染而成的。因此,她们从根本上否定了男性和女性在心理上有特质性差别的学说。她们提出来,男女不仅应在政治上平等、经济上平等、受教育机会上平等……而且,在心理上,更准确地说,在作为群类的心理特质上,也应享受平等的解释和对待。因而男性高级厨师多于女性高级厨师等等现象,同男性政治家多于女性政治家的现象一样,仍属不正常不平等的事情,有待于经过不懈的努力加以纠正。

两性的心理究竟有无区分探讨的必要,以及探讨起来究竟应当如何作宏观的鸟瞰与微观的剖析,这是比较高深复杂的学术问题,我们专业门槛下的兴趣者,也只能是踮起脚尖伸长脖颈朝那门槛里好奇地一瞥而已。

但在轻松愉快的茶余饭后,偶尔让自己的思绪升腾一下,到"形而上"的领域中略作窥探,倒也不失为一种高雅的消闲。

现在要问:"您究竟觉得男性和女性在心理特质上,有无重大区别呢?那位'新马'健将马库色的宏论,您是基本赞成还是'给他一大哄'呢?"

克林顿之唇

克林顿入主美国白宫已有数月，此君甫当政，即遇到若干政治难题，这里不去说他，且说美国社会有一帮在我们看来未免是"吃饱了撑得难受的人"，对克林顿有若干匪夷所思的攻讦和赞美。攻讦之一，是说他不该养猫而应养狗。克林顿进白宫，不仅带进了第一夫人希拉里且委以重任，还带进了"第一猫"索克斯并接受了若干选民赠与索克斯的"礼服"。攻讦者称，堂堂总统，不养具威严之感的大狗而爱媚态可掬的小猫，实在丢美国人的脸。不过克林顿对此攻讦无动于衷，想必读者读这篇文章时，索克斯定然仍在白宫里嚼食风靡全球的"伟奇牌"猫饼干。而赞美克林顿的怪例之一，则是美国有一家杂志让女读者投票选举"最具性感的男子"，一共选出10名，克林顿俨然入榜，与若干影帝、歌王、体育明星并列，据称他之所以入选，是因为其嘴唇最引动女人接吻之思。以上两则新闻，我国的一些报纸都作了客观报道，我的消息来源，就并非来自美国而是来自咱们中国的公开传媒。

克林顿是否该将"第一猫"索克斯换成一只大狼犬，这里不拟置评。但对美国妇女公开投票在传媒中选出"最性感的男人"，却想发一点议论。

论及人的美，如涉及性感，是否即等于宣扬色情？我想那等号是不能轻易画上的。对于女人，如中学课本里就有的唐代诗人白居易的《长恨歌》，形容杨贵妃的美貌，"温泉水滑洗凝脂"其实就讲的是性感；又如《红楼梦》第二十八回，写到"薛宝钗羞笼红麝串"，"宝钗生的肌肤丰泽，容易褪不下来。宝玉在旁看着雪白的一段酥臂，不觉动了羡慕之心,暗暗想道:'这个膀子要长在林妹妹身上,或者还得摸一摸……'"这当然并非色情描写,而是内含极其丰富的心理刻画,但在这个细节里,宝钗人美其实也无妨归纳为"性感"两个字。如今有的报纸副刊(尤其"周末版")介绍某些红艳照人的影视女明星,也开始大胆地使用了"性感"这个字眼。

但是从女人的角度,来审视并公开评议男人的性感,在中国却不仅几无结论可寻,在现实中即使潜在也难以出台。我绝无为美国那家刊物发动妇女选举"最具性感的男士"捧场之意,更不认为中国应有刊物效尤。美国有美国的历史、传统、制度与文化,而且起码这四个方面就都与我们中国相距甚远。但是我以为从这则近乎无聊的消息里,倒也多多少少可以展拓开我们的一些思路。首先,把克林顿选入"十佳"行列,且坦率议及他的嘴唇有诱人亲吻的魅力,这种对政坛人物的非神圣化、平民化及至鄙俗化做法,有利于松弛社会气氛,增添生活乐趣。

再,将男人是否性感单拈出来加以评定,对于世上许多妇女(美国的并不例外)把对男人的追求集中在地位与金钱(或单只是金钱)上,多少是一种调侃,体现出一种女性超越功利的纯朴取向。

当然,这种做法本身,更是对男人一贯大摇大摆地谈论品评女人的性感(西方早就如此,东方包括中国本世纪以来亦日渐成为不足怪讶的话题)之一种反弹,体现了女人群体中平等意识的强化。谈论性感,用《红楼梦》里的话说,大体上就是"意淫",如果过分投入,那就很可能像贾天祥正照"风月宝镜"一样,闹出个戕身殒命的结果。因此,无论男人还是女人,都应该:(一)坦率地对待自己从潜意识到显意识中的性欲求,不回避,亦不放纵;(二)采取正当的方式释放与化解;(三)"纸上谈兵"和"口头革命",都有一定必要,但最好是采取比较雅谑的方式,在玩笑中得到相当的满足,例如干脆说克林顿的嘴唇最适合女性亲吻,说出来也就在自己的一笑和亲人的哄笑中获得了必要的超脱;(四)无论是暗中胡思乱想还是公开地谈论性感,都应自觉地握紧道德和法律这两根缰绳,而不使"野马"越矩狂奔。

至少在我们中国,常常是喜欢说些粗话、荤话乃至讲些不雅驯的色情故事的男人,倒并不怎么真去胡搞女人,那些常常与男人大说大笑乃至打打闹闹的女人,倒并未有几个失去贞操。这当然并非已构成一个规律，也可以举出不少相反的例子，但至少说明了一点：无论男人公开议论女子的性感还是女人公开谈论男人的性感，都未必是堕落的标志。

就我看到的那几份刊出美国妇女选定"最具性感的男子"的消息（均突出了克林顿榜上有名这一点）的报纸，我以为都绝无诲淫之意，不过是为读了许多严肃乃至沉重的文字以后，想稍微轻松一下快活一下的读者们，提供一点茶余饭后的谈资而已。我的这篇文章亦然，所发表的感想或许大谬（欢迎批评），但看看炎夏即至，也不过是想引得诸位在一笑之中，少些溽热，寻点清凉罢了。

后现代女性

"后现代"这个词儿如今常出现在报刊上，尤其是"后现代主义"，几乎在每一种被认为是"严肃"的文学刊物上频频亮相。

我对"后什么什么主义"一概不懂，对"后现代主义"尤其糊涂。但我积几十年的社会生活经验，对不懂的东西不仅不采取感情用事的排斥态度，而且还反过来持一种好奇的求知的态度——许多开头一点不懂也不想弄懂而且反对别人在懂的东西，后来被社会生活的发展证明为一种有其存在道理的东西，或至少是无害而有趣的东西。所以对"后现代"，我亦采取一种"见怪不怪"的态度，并且我不是要坐等它"其怪自败"，而是希望它至少对拓宽我们的思路，起一点积极的催化作用。

我头一回对"后现代主义"（Postmodernism）产生强烈印象，是 1987 年深秋访问美国圣迭戈时。"后现代主义"在文化中的鲜明体现，排在首位的倒并不是文学，而是建筑艺术。圣迭戈当时刚建成了一个大型的购物中心，比现在北京陆续开业的华威大厦、国贸大厦、燕莎友谊商城、赛特中心、蓝岛大厦等都更大也更气派，那购物中心的建筑特色是将从古希腊直到后来欧洲的哥特式建筑、巴洛克式建筑、洛可可式建筑……一直到近代、现代的新古典主义建筑、浪漫主义建筑、包豪斯学派建筑、折中主义建筑、玻璃幕墙建筑、粗野主义和典雅主义建筑……以及东方的建筑包括中国式的亭台楼阁，在我看来是充满随意性地杂凑在一起，行走其中，心灵大受震撼——据说那便是遵循了"后现代主义"的一个重要原则："同一空间里不同时间的并置——历史感的消弥。"的确,在那购物中心里你只感到"此刻此地此身此意"的重要性,不仅"万物"皆为你服务,"万时"亦趴伏在你脚下,"历史"成为一种虚幻而不必去考虑的东西。

文学上的"后现代主义",我因不通外文,无法直接阅读洋人写的该类作品,所以简直不知道是怎样的一种滋味。但一位女大学生告诉我,中国目前若干年轻的作家,他们写的一些作品便属于"后现代主义"的范畴,如举王朔为例,说王朔用机智而辛辣的调侃消弥了历史阶段感,他那些小说的题目本身:《顽主》、《玩的就是心跳》、《千万别把我当人》、《过把瘾就死》……便宣告着一切严肃话题的终结,充满了"后现代"的"无中心"、"无目的"、"无模式"的意味,但又并不颓丧,而是快活得要死,整个儿是一种"生猛海鲜"的气息。王朔的小说的确传达出一种重视"此刻此地此身此意"而遑论"永恒价值"的韵味。女大学生的论述,似有一定道理。

但"后什么什么主义"之类的概念,显然是从西方引进的,"后现代主义"更不消说是西方人分析他们那里的若干文化现象以后,贴上去的一个标签。能"一不留神"地就搬到中国来,以"我是你爸爸"那样的不容争辩的口吻,来概括中国时下的若干文化现象么?把王朔划定为"中国的后现代主义作家",是捧他还是咒他呢?

西方有位理论家,对"典型的后现代主义艺术"特别是"流行艺术"概括出了下列11个特征:普及的;短暂的;易忘的;低廉的;大量生产的;满足年轻人的;浮泛的;性感的;善意蒙骗的;有魅力的;大企业式的。搬过来衡量衡量时下中国的某些流行文化,是不是也有相当多对榫儿的呢?

其实,如按上述那位理论家的11条标准来衡量,最可钉可铆的"后现代文化"是饮食文化中的"美式快餐文化"。凡在北京去过麦当劳快餐店、肯德基炸鸡店和所谓"加州牛肉面大王"的人,都会对那类快餐留下不仅仅是吃进嘴里的食物的印象。别的且不论,开放时中国迎进了越来越多的美式快餐,那么,说中国已有了"后现代主义"的东西,那就不能算错。

同那位女大学生继续往下侃,就侃到了这样一个话题:有没有"后现代女性"?她说那当然有。她说目前的中国,女性群体最具有"后现代"的风貌。在同一个百货商场或同一个公园中，你既可以看到仍然拐着小脚或"解放脚"的"文物式"老妪，看到衣着一点不敢"放肆"的花白短发的"大妈"、"大婶"，也可以看到各色各样打扮装束的不同年龄的妇女。有的一身名牌，有的典雅高贵，有的放荡不羁，有的天真烂漫，有的滑稽可笑，有的俗不可耐……总之，整个儿是活生生的"同一空间里不同时间的并置"——"历史感"即使没有消泯，也已被"解构"。

那么，作为单个的妇女，有没有能称之为"后现代妇女"的呢？我问题刚脱口，她便笑了——是呀，她本人，难道不就是一个活生生的例子吗？她的发型，相当地"保守"——是一种古埃及女王克丽奥佩屈拉那样的刘海连短发直梳不卷的造型；耳饰和项链是用普通的木头镟磨出来的只保留原木颜色，并不贵重却很奇特；然而她的一件真皮茄克衫却是极其昂贵的意大利名牌货，式样也极为新潮；牛仔裤却又平常；最让人一惊的脚上是一双旧式的中国带扣绊的平底布鞋；她的"walkman"即"随身听"是极高档的日本爱华牌，她那天听的是一盘摇滚乐，然而她腕上的手表却又是很平常很便宜的国产机械表，并且刻意不要坤表而是一只看上去显得很突兀的大表盘；她茄克兜里揣着一本英文原版的沃兹华兹的袖珍诗选，手里握着卷成一束的《女友》杂志……她本人，不也是"同一躯体（甚而同一灵魂）中不同时间（甚而不同文化）的纷然杂陈"吗？

但面对着她，我却并没有觉得"历史感已然消泯"，恰恰相反，我是更深刻地意识到我们正处在一个社会大转型的历史时期：一切都并没有结束，而一切都已重新开始。

男人为何不开屏？

男人为何不开屏？

常看中央电视台播出的《动物世界》节目的人，一定会积累下厚重浓稠的印象——在动物世界里，凡雌性，一般都比较素净，而凡雄性，却一般都相当华美。比如孔雀，那长得花里胡哨，一发情便拼力开屏展示其风采的，是雄孔雀而非雌孔雀；鸳鸯成对成双地游动，一对之中，那羽毛相对华美的，一定是雄的而非雌；非洲狮雌的长相一般，雄的那一头鬃毛、腮毛好不堂皇；海里的鱼儿也一样，同一种鱼，发情时也总是雄的呈现异彩……

人类虽由动物进化而来，至今仍有许多与动物相近之处，然而雌素雄丽的外观模式，却不仅没有保留，反倒人为地掉了一个个儿。

这是怎么回事呢？有人说是因为人类自脱离了远古的母系社会，进入夫权、父权社会以后，男人宰割了女人。因而，动物世界里那种雄性以异彩取悦雌性的生存模式，便遭到了颠覆，一步步发展过来，"女为悦己者容"，反倒成为了"天经地义"。

本世纪以来，要求男女平等的呼声日炽，到了世纪中期，西方有"女权主义"抬头，东方有中国的"铁姑娘"式妇女的出现；"不爱红装爱武装"的褒扬，更在"文革"中造就了一代拒穿裙子拒留长发当然更拒戴项链拒抹口红的"女兵"群落；但这种种的努力，都仅只是使"雌孔雀"更其灰暗，而并不能引来男性群体的"开屏效应"，以填补女性潜意识里的原始渴求。

当代男性的自我造型，大体而言，都非"开屏"式的。一种追求气派，以显示自己的财富、名气、地位、教养，他们勤修边幅，身姿挺拔；衣装光洁，而且嗜好名牌；身体语言单调，频频出现的"修辞格"无非是成就感与个人尊严。另一种男性则追求狂放，以显示自己的"男子汉"精神，他们不修边幅，不摆姿势，不重穿着，或嗜烟或嗜酒或两者皆嗜；他们不故意摆弄身体语言却反而显得"辞章"丰富多变、韵味无穷；他们凸现的是硬朗的个性与冒险精神。当然还有其他种种的形态，但上述两种应是数量较多并且也较易引起女性注意的。令人慨叹的是，倘你细心观察，社会上与上述两种男性做伴的女性，大体而言却是"开屏"式的——发型必十分讲究，衣着必十分光鲜乃至于十分新潮，而耳饰、颈饰、链饰、腕饰、戒指一直到足下的鞋子，必定都或熠熠闪烁或离奇古怪，尤其是那身体语言：三围的展示，脖颈下三寸处的挑逗意味，玉臂的提升垂落小摆动，兰花指的微妙组合，微微扭腰摆臀的轻柔走动……更不消说还有经过仔细化妆的面部五官与几种匝肌的万种风情……"女极主义"闹腾了那么久，"半边天"的口号也悬挂了那么多年，为什么到了世纪末，竟然还是"雌孔雀"向"雄孔雀"大开其屏？

也许，由雌素雄丽，演变为雌丽雄素，恰是人类脱离了动物世界的一大标志，是一种人类自创出来的值得自豪的文明？

一位大学生告诉我他曾作了一次抽样调查，分别询问了 100 个男人和 100 个女人，年龄皆在 22 岁至 45 岁之间；问男人喜欢什么形态的女人，问女人喜欢什么形态的男人，采取的是答卷形式，自然回答者不必写什么字，只需在设定的问题后用画钩和画叉来表达肯定与否定的态度而已。他说收回答卷加以统计后，那结果令他吃了一惊——因为与他原来的主观预想不仅相距甚远，而且往往恰恰相反。

下面引用一些他获得的答问资料：

男人看女人——

"你是否喜欢女人像孔雀开屏似的向你积极热情地展示她自己？" 100 个男人只有 13 个人画了钩，而有 55 个人画了叉，其他的留下空白。

"如果一个过了 25 岁的女人同你交往密切，她完全不化妆你是否会觉得遗憾？"100个男人里47个人画了叉，36个人画了钩，其余留下空白。

"你同你妻子要一起去参加一个宴会，临出门前你是否会刻意打量一下妻子的衣着与化妆？"100个男人里只有38人画了钩，31人画了叉，其余留下空白。

"在公共场所，比如乘坐地铁时，你是否会对偶然遇上的孔雀开屏般展示自己的陌生女性多看上几眼？"100个男人里有48个画了钩，16人画了叉，其余留下空白。

"你除了希望女性对你的成就、性格、思想等方面心存敬意乃至爱意外，是否也希望女性（不仅是妻子亲友）对你的外形——包括衣着打扮产生好感？"100个男人里竟有64个画了钩，21人画了叉，其余留下空白。

再引女人看男人的资料——

"你是否喜欢男人像孔雀开屏似的向你积极热情地展示他自己？"100个女人里有7个人画了钩，有44个画了叉，其余留下空白。

"你对男人使用化妆品比如润肤膏香水等等是否觉得别扭？"100个女人里14人画了钩，3人画了叉，其余全部空白。

"你并不喜欢胡子刮得干干净净的男人，而喜欢有胡子楂儿的男人，对吗？"100个女人里有74人画了钩，16人画了叉，其余空白。

"你喜欢男人留长头发吗？"100个女人里79人画了叉，19人画了钩，其余空白。

"你喜欢男人留胡子吗？"100个女人里有60人画了钩，23人画了叉，其余空白。

"你觉得男子的五官长相不如他的个头和风度重要吗？"100个女人里有89人画了钩，4人画了叉，其余空白。

不知读者诸君有何感想，反正我在细看了他那调查资料后既困惑却也憬悟——无论男性还是女性，对于异性的审美需求，都是微妙而神秘的，探究起来，真是麻烦得很哩！

奖杯应否一律"银杏化"？

最近有一位女士问我：电影评奖为何只在表演项目上区分男女（最佳男女主角和最佳男女配角），在别的项目上为何"囫囵吞枣"不分男女。比如为什么不分设"最佳男导演奖"和"最佳女导演奖"，及男女分开的最佳编剧、最佳摄影、最佳作曲等奖项呢？

不消说，我又遇上了一位思维方法古怪的人物，我听了她的问题以后，脱口而出的一句话是："亏你想得出来！"但冷静下来一想，就觉得她的问题也不无一定的道理。在体育比赛中，固然几乎所有的项目都是男女分赛分得各自的奖杯或奖牌，而且矫情如这位女士者，也还没有来"挑刺儿"，不过也非绝对——在巴塞罗那的奥运会上，射击项目中就有男女混赛的，并且中国的女射手张山还偏偏获得了这个项目的冠军，不仅为中国的巾帼扬了眉吐了气，也为全世界的女性争了光。

西方某些具"女性意识"的人物，她们的思路，可能与我的这位女同胞恰恰相反，如果由她们来问，那问法可能反而会是：表演奖有什么必要单把男女分开评？不仅同一部片子里的男女主角可以分出演技的高低，就是不同的片子里的男女角色，也大可混合比较，谁演技高超谁算最佳，可以设主角奖和配角奖，每种还可分一二三不同档次的奖，如果评出 6 个都是女的，说明那一届的电影节就是女演员最出色嘛，男人们有何不服？

说来说去还是要怨怪造物主，为什么偏让人分为男女？在植物界，凡低等点的品类，几乎都是雌雄同体，比如乔木类树，我们常见的大多数是雌花雄花开在一株，甚至开在同枝同节的。在北京地区，雌雄异体且可长得粗壮伟岸的树木，常见的是银杏。入秋后小扇子般的叶片金黄耀眼，倘雌雄分栽离得甚远，那就结不出果实来，倘雌雄并栽，秋后两树都会结出莹白的硬壳果来，俗称白果。银杏树在乔木中可谓独树一帜，那位用怪问题来难我的女士，看来是主张人类的各种评奖都一律"银杏化"的，女人都参加雌银杏杯的角逐，男人都去夺他们的雄银杏杯。

心里梗着个男女差别问题，不痛快，因此想将其修平，无论是提出将人类的竞赛一律混评，还是提出将人类的竞赛一律男女分评，那心理依据是相同的，都是"女权主义"的气味。

但想法归想法，实践起来，恐怕很难，而且很可能事与愿违。

男女在体能方面的差别，是不能不承认的。让男女在体育竞赛中混赛，表面上，似乎是再平等也没有了，还可以省去性别鉴定的啰嗦，但能让女性夺得的奖杯和奖牌，一定寥寥无几。

好，不去讨论体能方面的问题，现在要问，主要是智能方面的竞赛，男女合赛好还是男女分赛好？哪种赛法更能体现出男女的人格平等？就以电影节的评奖而论，因为最佳导演奖是男女导演混评，本来世界上女导演相对就少（中国例外，挺多），她们导出的影片在电影片竞赛的初选中已难得入围，经常是正式比赛时全是男导演的作品，最佳导演自是非男人莫属，这公平吗？最近传来 1993 年法国戛纳电影节的消息，很令人振奋，一是第一回有中国导演的作品获得金棕榈奖——陈凯歌的《霸王别姬》，一是第一回有一位女导演的作品得奖——新西兰的珍·坎平为澳大利亚拍的《钢琴课》；但珍·坎平也还没有获得最佳导演奖，这回的得主仍是一位男士。倘有男女分开评最佳导演奖，那本是非她莫属的。不过分开比赛在另一些领域又派生出了另一种疑问，比如现在的棋类比赛是越来越趋向于男女分赛了，如国人引为骄傲的谢军，她就获得了国际象棋女子争霸赛的冠军。有的中国人就问：让谢军同国际象棋的男子冠军赛一赛又怎么样？很可能也取胜！把她的棋才局限在女流之中，不构成一种压抑吗？有趣的是桥牌赛——这也是一种不可小觑的高尚而正式的体育比赛项目——却又通行男女混赛的形式，我们都知道杨小燕这个名字，她是一位美籍华人，一位国际大师级的桥牌高手，她无论与同性还是与异性搭档，都经常是所向披靡。唉，到底是男女分赛好还是男女混赛好？还真是一个不那么容易讨论清楚的问题呢！

其实再细想起来，世上的事物何必掰拆得那么清楚？许多事物的界限，本是模糊不清或无妨两说的。比如在谢铁骊导演的那部电影《红楼梦》里，男主角贾宝玉是由一位女士扮演的，倘要给奖，该怎么给？"最佳男主角奖"？让一位妙龄女郎去捧那雄银杏杯？"最佳女演员奖"？她所演的又分明是一个男主角，那角色不是女扮男装而是男装男人，只不过由她女扮男装地演了而已——瞧，越说越绕，乱了不是？亏得那演员的演技一般，否则会让评委们好一顿脑仁儿疼！

总体来说，现今全球的趋势，是把男女混在一起比赛评定的项目越来越少，而把男女区别对待进行比赛和评定的项目在逐渐增多，很有点奖杯走向一律银杏化的味道。

我的一位同行朋友，美籍华人女作家李黎，去年出版了一本长篇小说《袋鼠男人》，小说写了一个男人借助于先进的科学技术自己生孩子并且如袋鼠般哺育孩子的故事，我看后不禁哈哈大笑，但李黎一本正经地对我说，她写的从生物工程学角度检验是天衣无缝的——那男人生孩子的种种描写并非"科学幻想"，而是即将展现的科学现实！我听了只好点头，因为李黎的先生也是我的朋友，而他的职业，恰是与生物工程学紧密相关的遗传学。显然李黎的小说是得到了内行人的指点，这么说男女间的生理和体能方面的差别，在下一个世纪有可能从根本上加以消除。那时候，银杏杯的评定方式，可能就全无意义了，人不分男女，自然也就无所谓"男权"、"女权"，混合比赛和评奖，当又渐成主潮吧？

梨花满地不开门

古时诗人常有"闺怨诗",如唐朝刘方平的《春怨》:"纱窗日落渐黄昏,金屋无人见泪痕。寂寞空庭春欲晚,梨花满地不开门。"诗里提到"金屋",这是一个典故——汉武帝从小爱阿娇,发誓将来要用镶金的屋子给她住,后来阿娇果然成了皇后,也果然住进了"金屋"——所以有个成语便是"金屋藏娇"。刘方平这首诗提到"金屋无人",可见诗中的女子不是一般人家的少妇,而是宫里的嫔妃,"无人"是指皇帝没来"幸"她。这类的诗又叫"宫怨诗",在唐代是很盛行的题材,如白居易的"白头宫女在,闲坐说玄宗"也是这类题材中的名句。

往事越千年,一夫多妾制下的"闺怨",在中国已成为历史的陈迹,像《大红灯笼高高挂》那样的作品,当代青年的兴趣,不在与主人公的情绪共鸣,而是把那里面的人物和情节,当做象征性的符号,生发出一定的感慨,所以最近有一位女青年读到刘方平这首诗,她就很不能理解,她说:"无人来骚扰,不是很好吗?在自己的私人空间里,静静的,梨花满地,充满诗意,谁来敲门也不开,这境界我是求之不得呢!"

这里不去讨论古诗中的"闺怨"题材问题,倒想顺着这位当代女青年的话茬儿,议论议论关于私人空间和个人隐私的事儿。

中国人的私人空间,相对来说,是比较小的。在农村,人们住得比较宽,男子一成年,家里总要给他另盖房子居住,但中国农民的私人空间意识很淡薄,不管房子多大，亲族乃至邻居，多半是随时可以跨过门坎迈进去的，一般连门也不用敲。在城市，现在虽然住楼房的人家越来越多，邻居们不那么随便串门，各家多半都装上了门铃、窥视镜乃至于防盗门，可是，大多数的城市青年，特别是尚未结婚的男女，他们不得不同父母长辈同住于一个单元中，本来属于他们自己的空间就比较小，加以为数不少的长辈，把对他们的关怀，一直延伸到探究他们的隐私，私拆他们的信件，私翻他们的日记，乃至于搜枕头底、薅书桌抽屉，致使他们的私人空间，几等于无，个人隐私权，也被"无微不至的关怀"，侵犯殆尽。这样的"善意入侵"，有时还来自师长、领导和其他"热心人"。

难怪那位当代女士，对"梨花满地不开门"的诗句，产生出与诗人原意相反的感慨，她对私人空间的向往，对个人隐私不受窥探的意愿，都凝聚在了对这样的一句唐诗的"误读"中。

可惜的是，并不是每一个人，特别是年青人，都懂得私人空间的重要性，都珍惜自己的隐私权。这也有客观原因。在目前的转型期社会中，有一种人，他们极愿显富，以曝光自己的财富为乐趣。他们不懂得，个人财富，属于个人的经济隐私，除了向税务部门不得隐瞒外，那具体所得，对社会上一般的人，不显山不露水，是正常的，大肆张扬，则至少是一种庸俗可笑的做法。而有传媒，大概是为了趋动读者好奇心，以扩大销路，又很乐于搜罗有关社会名人的隐私，举凡发了多大的财、结婚与离婚、跟谁"拍拖"、何处买了房、哪里有外遇……都是版面上的炒不完的冷饭。在这样的社会氛围中，一些普通的青年男女，也便失去了准确的自我感觉，产生了一种心理上的焦躁，恨不得自己也能向社会向他人，马上宣布出以金钱为坐标的"成功"与"辉煌"。

不错，个体生命不可能单独存在，他必是社会中的一个成员，所以，社会必要他承担义务，他在社会中的权利，也必受社会的监督，他的成败得失，也只能用社会公认的标准来衡量，所以，社会性是人不可避免也无庸避免的一个方面。但一个人一定要同时深刻地意识到，他本人，除了社会性，他还有作为独一无二的个体生命的隐秘。个人在财富、名声与社会性享受方面达到的高度，只要来路明了正道，那也确是他个人价值的一种显现,但不应是他个人价值的全部。人的全部生存价值中,有相当一部分,应是他个人隐秘的不可侵犯性,这是他作为一个人的尊严的不可切割的部分。

说到个体生命的隐秘,总有一些人顿生误会。在他们意识里,隐私、隐秘、隐情、隐忧……凡属个人的、隐蔽的东西,简直可以同不健康、错误乃至罪恶画等号,所以他们热衷于侵犯别人的私人隐秘领域,认为那不仅是名正言顺的,而且还带有拯救堕落的意味。其实,这种人也未必是"无不可告人"和"无不可曝光"的"全透明社会人",他们很可能有相当卑劣的心态和行为,并非常害怕别人知晓,只不过他们缺乏一种自我尊严感,属于庸人乃至小人罢了。

个人内心中的隐秘感情,有时也会形诸文字,如唐代诗人李商隐,他的若干首《无题》诗里,就充弥着许多似现终隐的意境,还有一首读起来朗朗上口、美感丛生的《锦瑟》,这首诗里肯定蕴涵着相当浓酽的私密,使后世无数的读者评家费尽神思仍难解其谜。现将该诗俱引于下:"锦瑟无端五十弦,一弦一柱思华年。庄生晓梦迷蝴蝶,望帝春心托杜鹃。沧海月明珠有泪,蓝田日暖玉生烟。此情可待成追忆,只是当时已惘然。"锦瑟是一种弦拨乐器,柱是托弦的托子;庄生梦蝶的典故大家应当知道,蓝田是陕西一个产玉的地方;把这几点解释了,这诗从字面上就并不难把握了,但字面里边究竟藏着些什么?真是千古的秘密。我们虽然参不透这个隐秘,但隐私隐秘的不但未必丑恶,而且可能相当优美蕴藉,这也算是一个例证吧!

从这个角度去看,我也觉得,有时候,"梨花满地不开门",一个人静静地享受隐秘的只属于自己的思绪,那也真是一种人生的诗境呢!

你愿当花瓶吗?

我在文章里曾说过,在当代中国,一夫一妻多妾制下的"闺怨",已成为历史的陈迹,自以为这是不争之论,没想到几位读过该文的朋友却提出异议。虽然我总的看法并不因此而改变,但对他们的意见,我颇重视,而且,觉得也无妨介绍给读者,以便大家讨论。

一位朋友说,他确实知道,在某些沿海普遍发了财的地方,有那最大的财主,实际已在纳妾,也就是除了"元配夫人",又有"小老婆",多半是因为大老婆不生育,或"只会生女",所以"不得已而为之"。当然,鉴于这实际是犯法,所以一般都采取了隐蔽的手段,把"二房"安排在另外的地方自住,男财主两头跑、两头留宿。不过,也有"半公开"的,就把"小老婆"纳进家中,名义上,说成是大老婆的"妹子"什么的,多半因为贿赂了当地官员,所以不但未受法律追究,还俨然地面上的堂皇人物。听了他的话,颇觉耸听,不过,我相信他并非造谣,我们国家如此之大,目前的社会转型又如此迅猛,个别地方出现一些怪人怪事怪现象,很难避免。只希望该地区的好官,还是管一管这类逆历史潮流而动的丑事。

另一位朋友,则说的是大城市里的事,据他说,现在大都会里,有若干被大款包占的情妇,这里面有相当数量是未婚的青春女性。大款明言并不同她结婚,她亦甘当情妇,甚或自以为这样一种生存方式很新潮、很浪漫。有的大款给置了房子,"金屋藏娇",有的是在宾馆饭店里给包了房间,有的则与未婚大款在一个单元里同居,更有"打一枪换一个地方"的。这些女性，主观上往往认为自己是为爱情献身，并非图的钱财享受，对人们从旁把她们指为娼妓一类，或怒不可遏，或冷笑不置。这位朋友讲的情况，我听来倒并不怎么惊讶。其真实性，想必读者们也都不会有大的疑惑。

有的朋友，还爽性给我寄来从报刊上剪下的文章，有一篇报告文学，讲到大都会里，还有一群特殊的女性，过着古怪的生活——她们嫁给了外企中的洋人，本是为了能被带出国外，谁想嫁成后，那洋人却并不将她带出国去，或虽短期带到国外探探亲、小作游览，到头来还是把她又带回中国来长住——一般也是安排在公寓中或在宾馆饭店中包房。那洋人一天到晚忙自己的事，"商人重利轻离别"，一出差就是半月乃至一季，虽给她们留下了足够的钱，可以过高消费的奢侈生活，她们的失落感，却是难以填补的。最要命的是她们害怕同熟人见面，尤其怕人家问："咦，你不是出国了吗？"有时她们便只好撒谎，说是已迁往国外，现在是临时跟丈夫再回来"办点事"云云。

这样看来，在当今的中国，确实至少局部还存在着"闺怨"现象，就是说，还有一些妇女，她们并没有完全独立的人格，她们还是依附于男人。像上述的第一种，为人作妾，成为男人泄欲、生殖的工具；第二三种，虽一般尚不构成法律问题，是否道德或者也还有讨论的余地，但她们作为男人（即使是"强男人"、"好男人"）的"花瓶"性质，那是很难为其辩护的。

莎士比亚曾有"弱者，你的名字是女人"一说。女人之弱，主要表现在有时不得不依附于男人，其依附性首先表现在成为供男人观赏的花瓶。本以为"莎士比亚时代"已经完全过去，谁想到如今，甘当或不得不当"瓶女"的弱者，也还大有人在。

可能会有人来同我争论，"女为悦己者容"，有什么不对？有什么不好？我曾在《女友》杂志的《蓝郁金香》专栏中，参照西方"女权主义"的观点，谈及了妇女应有的"自身感"，已说过的话，兹不重复。总而言之，女性的自尊，应首先表现在抛弃"男人会不会喜欢我"的心理态势，女性的打扮自己，乃至于精心美容，包括提升自己的风度、气质，不应是为了使"悦己"的男性更加"悦己"，"拴住男人的心"，而是为了体现出自己为人的尊严，所以已有人提出："女为己悦而容"。为自己打扮自己，其实还不是最高的境界，打扮自己的目的何在？说到这里，忽然想到有一回在法国巴黎凡尔赛宫游览，在那金碧辉煌的镜厅里，我在法国女讲解员讲解完毕时，不由得用英语赞了一句她的美丽，刚赞完我就有点失悔，心中自责孟浪，谁知她听到我的赞词，不仅没有生气，还满脸笑容，微微躬身向我致谢，弄得我不知该如何再回应。后来我们在咖啡座小憩，恰巧那讲解小姐也下班来喝咖啡，坐在邻座，我就通过法国友人当中翻译，与她交谈起来。据她说，她打扮自己，不是为了哪一个具体的"他人"，尤其不是为了她的爱人（她所说的"爱人"不是配偶的意思），更不是为了职业性需要，博得游客的"观花瓶"式青睐，她认为自己是上帝创造的花朵，这生命的花朵只能开放一次，所以要自尊、自爱、自赏，至于她对我赞美其漂亮感到高兴，那是她从我的眼光中，没有感到轻佻和亵渎，对把她当做"大自然最美丽花朵"而赞美，她当然非常高兴！上述法国女郎的观点，我们不一定认同，特别是她那基督教信仰的前提，我们更难与之契合。不过，把自己当做"大自然的花朵"艳丽地开放，而不是把自己当做装饰世俗世界的"花瓶"，也不仅仅是"为己悦"，这样的境界，还是很值得我们借鉴的。

当然，如何打扮自己，这毕竟是每一个女性（男性也一样）个人的私事，或浓妆，或淡抹，或不断变化，或固守定式，应悉听尊便。不过如果我们大体上同意"人是大自然的花朵"的说法，那我们就最好在打扮自己时，追求一种从外到内的自然感，明代戏剧家汤显祖写的《牡丹亭》里的那个美丽的女主人公，她就说她的审美观是"一生爱好是天然"，按我的理解，"内天然"，就是心灵纯洁而丰富，不矫情，去杂芜，"外天然"，就是以美容和衣饰来衬托出自己本来面目中的天然优势，如个子不高，那就与其蹬高跟鞋，不如爽性平底鞋，往"小巧玲珑"上去展示"天生我材必有用"的自信。

也可能有的读者到头来认为"当个美丽的花瓶又何妨？"我也不打算再阐释自己的看法，如果能就"你愿当个花瓶吗？"征求读者回答，把那答案综合起来展示一下，那倒挺有意思的！

她为什么不戴首饰?

史蜜莉是一位欧洲的女权主义者，她的衣着和发型是充分女性化的，但她拒戴任何一种首饰。我问她:"你为什么拒绝美丽的首饰呢？"她瞥了我一眼，正色说:"那是女性被男性奴役的象征，我不仅自己不戴，我也希望所有的女性都意识到这一点，都不戴! 当然，这不容易，需要做许多艰苦的宣传工作……"

首饰是男性奴役女性的象征? 我想不少男士对这一判断可能会一方面感到吃惊，一方面倒也很可能大舒一口长气——既然如此，他们的女友就该放弃让他们买首饰相赠的要求，他们也很乐于放弃那掏腰包买首饰的"奴役权利"，但这判断站得住脚吗? 他们放弃"奴役"，那些女友能甘心"不受奴役"吗?

史蜜莉说起她那套道理，不仅义正辞严，还很有点情绪激动。我洗耳恭听，开头觉得是天方夜谭，后来却觉得倒不失为一家之言。

史蜜莉说，人类在原始社会后期，各部族之间互相劫掠，开始是抢吃的，不抢人，因为那时生产力低下，抢人没有意义，除非把人当食物,如不当食物,抢来还要养起来，自己还吃不饱，怎么养俘虏? 后来，生产力提高了，俘虏就不是全杀掉，而是留下一部分，男俘虏一开始难以对付，留下很危险，所以多留下女俘虏，何况有的部落面临人口减少的状况，女俘虏可以当做生育的工具。女性生育功能渐渐成为女性价值的核心部分后，女性在部落中的地位也就下降了，以女性即母系为主体的原始社会结构，也就一步步转化为以男性即父系为主体的奴隶社会结构。奴隶社会的价值标准，可就是俘虏的奴隶越多，越神气。因为抢女奴隶时，事关强迫性交后的血统标志，所以需要特别严格的防范措施，例如脖子上要套绳索，手腕要捆起来，为万无一失计，手指头有时也要捆，脚腕子也要捆，这样久而久之，形成一种风俗，即使被俘的女奴不那么拼命抵抗，也要照那"规矩"给她一个标志。再后，生产力进一步发展，被打败的部族可能会主动投降，不但献出财物，也献出女子，那女子的套脖索、腕索、指索，就都可能是败方自己戴上去的。到了封建社会，俘获女子的方式多样化了，如"和婚"，女子成为政治的交易物，求和的一方，就把原该是绳索的东西，彻底地全符号化了。而且，为讨好对方，干脆用金银珠宝制作，似乎越贵重，便越能体现出自己这方面的诚挚。获得"和婚"女子的一方，往往也并非一定占到上风，因此，对那送过来的女子，也会主动提供纯粹象征性的"绳索"，也都是些金银珠宝的制品。结果是，那嫁过去的女子所得的"绳索"越多，也就意味着她被"拴捆"得很牢固。这种本是部族和社会上层政治集团的"游戏规则"，后来向平民中渗透，"绳索"的符码，便成为了所谓的首饰。套在脖子上的绳索，化为了项链；捆在手上的绳索，化为了手链或手镯；勒在手指上的细绳，则化为了戒指。有的民族，如印度人，女子现在还时兴戴脚镯，那当然是捆脚脖子的绳索衍化而成的……

　　这说法牵强吗？我问史蜜莉："耳环呢？难道那时候抢女人，还要拴耳朵吗？"她一点不为难地解释说："并不是要拴耳朵，耳朵和手脚不一样，是无法起反抗作用的；但那时一次胜仗会掳获不少的女俘，如何给她们编号标识？在她们耳朵上扎个眼儿，用树皮绳穿过去系上，树皮绳圈上套上不同的树叶或石子什么的。先被统计的，可能那树叶或石子还比较少，后轮到的，那坠在树皮绳上的树叶或石子就会很多很重……所以，不用再怀疑了，每一种所谓的首饰，都是从奴隶的标识演化而来的，无一例外；就连女性那些有别于男性的化妆手段，也都和当年女奴被男性劫掠的情形相关。比如，为什么要抹口红？要擦胭脂？要染红指甲？因为，一开头，被掠的女性肯定都要反抗、挣扎，在那过程中，嘴唇咬出血来，脸上被抓破，就是没抓破也要涨得通红，指甲也会出血。这些，本来都是被劫掠的记号，屈辱的标志，但发展到后来，像绳索化为了首饰一样，破相出血也就都化为了所谓的女性状……因此，你现在无妨用新的眼光来看女性的项链、耳环、手镯手链、戒指、口红、胭脂、红指甲……那其实都是在向男性献媚，传递着一种明白无误的信号：我是你的奴隶，我属于你，我忠于你，我供你驱使，我等你的命令……你对此无动于衷吗？我可是看不下去！尤其是一个女性被一个男性带着，到所谓的金银珠宝店去，让男方掏钱给她买首饰，那女性完全没有意识到，她不过是把当年女性被劫掠的悲惨情景，变个方式，在自己身上重演一遍罢了，那真可怕！也真可悲！"

史蜜莉女士的这些"高论"对我来说，确实"震耳"，却还不能说"发聩"，我就又问她："现在男性不也有戴首饰的吗？难道，你看上去，也产生一种男奴隶的感觉吗？"她竟说："确实也有那样的感觉。老实说，就戴戒指而言，因为后来成为基督教徒订婚、结婚的标志，演变的情况复杂一点，我看着还不那么反感。但男性戴项链、手链，我以为也是甘当奴隶的一种没出息的表现。人们可以注意到，男歌星，男球星，男影星，还有一些风流男子，他们里面戴金项链的比例最高，从某种角度看，他们不都是公众，特别是所谓崇拜者、追星族的消遣性人质吗？他们是一种现代奴隶，公众玩物，那金项链越粗，便标志着他们越不属于自己而越是供人观赏的一种存在！……"

"行了行了！"我不再愿听史蜜莉女士的奇谈怪论，我们的有关交谈也就到此为止。

不过，读者们听了我的转述，会怎么想呢？市场上越来越多的金银珠宝首饰，总不会因我这篇文章滞销起来吧？就此一笑，结束此文。

永难划上的等号

　　不管女权主义者如何努力，男人和女人间的等号，是永难画上的。

　　男女的政治平等，虽有比如说加拿大第一任女总理的出现等新事例，颇提神，但就全球总体状况而言，还是很不如人意的。不过，相信经过世界上争取平等的女人和愿与女人平等的男人共同努力，政治平等还是终会实现的。也许下一个世纪末，政治舞台上的男主角与女主角便不仅数量相近，作用也难分伯仲。更要紧的是，一般民众中的男女，其政治权利的享有度亦无差别。

　　男女的经济平等，同工同酬，现在看来基本上已形成了共识。但男女在求职过程中，女性在大多数职业领域中不能得到与男性平等的录用机会，却是几乎全世界各个地方都普遍存在的现象，区别只是程度的不同。有的地方公开挑明不愿录用女性，有的地方不这样说，甚至还假惺惺地反过来表白其如何一视同仁，其实骨子里还是嫌女性麻烦，不顶用，录用员工时还是一个宁男勿女的原则。得到"工"的机会不均等，"同酬"也便只能是望梅和画饼。不过从长远来说，男女的经济平等还是有可能历尽波折而终于实现的。

　　男女的社会平等，原来是被认为最难解决的问题，比如说，女人要怀孕、生孩子、哺育（坐月子），这无论如何是不能由男人来代劳的，不像其他的家务事，如做饭洗衣收拾房间，只要男人观念转变，肯于承担，也就都可以分担乃至包揽。不过随着科学的发展，现在已可以作到体外受精、体外孕育、体外成婴，男女只要分别献出

精子和卵子，由有关的科学家和专业人员去一步步地运作，便可得到宁馨儿。在那
全过程中，男女完全可以处境均等，女性可免去许多原是独受的麻烦与苦楚，这种
生孩子的方法虽然目前还属罕见，并牵扯到若干法律上、伦理上、道德上的复杂问题，
但毕竟在理论和实践上都已成熟，如欲推广，并无困难。去年我去瑞典访问，在斯
德哥尔摩见到一对年轻夫妇，他们刚得儿子，根据法律，男女双方都可享受带薪在
家育儿的福利，当然那规定还包括若干我们一下子还不一定听得懂的细则，我大体
弄明白，是夫妇一方如享受一年的育儿假，另一方则享受半年，他们的决定，是男
方一年，而女方半年，可见至少就他们夫妇而言，已实现社会平等。如世界上的男
女皆能如此，恐怕女权主义者们也就不会再那么激昂了吧！

　　但不管怎么说，男人毕竟是男人，女人毕竟是女人，纵使男女在政治、经济、
法律以及社会、家庭各个方面都"水流平"，实现"大同"了吧，男女也还是难以画
上等号。

　　男女生理上的永远不同就不去说它了；男女心理结构，总体而言，显然也是差异
难弥的；还有男女感情世界的微妙然而是重大的区别，也不能忽视。一般来说，男人
的感情大都出自"我"达于"彼"而归于"我"，女性却往往出自"我"达于"彼"
而滞留"彼"，这区别不是用批判男人"自私"或呼吁女子"解放"就能抹除的；男
人的潜意识和女人的潜意识也并不像弗洛伊德所说的那么简单，都只是潜留着性的
原欲，如进行深入细微的探究，便会发现也绝画不了等号。尽管许多激进的女权主
义者企图在发式服饰等"包装符码"上使男女进入"无差别境界"，但在这个似乎不
能与政治经济等相比拟的"小问题"上，她们碰的钉子最大，最不能为她们的大多
数同性认同，什么原因？可怕的是并没有多少说得出的原因，绝大多数女性就是要
本能地使自己的"包装符码""非男性化"，即使她意识上很"平等"，甚至当上了总
理、董事长，她也还是要保持一种鲜明的"女妆"，与男人区别开来。因此，我们可
以毫不犹豫地宣布，一万年以后，男人和女人也仍会存在着明显的差异，尽管这差
异并非男人加诸女人，但差异就是不平等，不平等的存在就会令女权主义者感到"革
命尚未成功，同志仍需努力"。

　　听到读到一些西方女权主义者的激烈言论，作为一个男人，我承认，往往不仅不理解，还很反感。但静下来细想，世上许多的事，一味地靠温和，是推不动的，必得既有温和的一翼，也有激进的一翼，两翼扯动，才飞得起来，开创出崭新的局面。西方女权主义者的激进派言论和行为，毕竟也起到了若干起码是惊动世人耳目心神的作用，正如那蓝色的郁金香花，太怪，太各色，调子太冷，价码也太高，不可能为大多数人喜爱，却也不可或缺，别具一格，丰富了这世界，装点了这人类。

　　男女永难画等号，男女平等的向往，才永具璀璨的魅力！

胡愁乱恨

"少年不知愁滋味"，并不是一桩好事，越是投入社会，烦忧就会越多，发愁是难免的。问题只在于知愁后能不能发挥主观能动性，解开愁结，走向开朗。至于恨，作为人的感情之一种，就更不可或缺，问题也只在于恨得对不对。

但年轻人有时会胡愁乱恨。

比方说，我就接到这样的年轻读者的来信：因为自己长的是双眼皮，觉得不如所崇拜的香港歌星林忆莲的那种单眼皮美丽，所以懊丧得要命！她在来信中说，医院现在只有把单眼皮开刀变为双眼皮的美容手术，却没有把双眼皮变为单眼皮的手术，她去了几家医院，恳求过大夫，大夫都笑她想法古怪，说人家巴不得双眼皮才好呢，你却偏要变双为单！她为此"痛感我国美容医学的落后"，并要我代为呼吁，以使她和像她一样的人能"好梦成真"！如果这只是极个别的孤例倒也罢了，偏还有为自己胖不起来而"痛不欲生"的，以及因为自己个子"居然一米七二"，而痛感"像我这样的女孩子简直不好意思往人堆里站"的，还有一个男青年，他来信说因为同学们给他取了个"奶油小生"的外号，他羞愧难容，拼命地晒太阳也还是改善不了那"丢人的白皮肤"，他气愤地质问：为什么商店里只卖什么增白粉蜜，而全无皮肤增黑膏出售？！……请问，这样的愁，是不是"胡愁"？也许上面的几个例子，都极端了一点，但平心一想，把不该为之发愁的事，竟郁结为一大愁团，弄得自己思绪不能集中在正事上，误私乃至误公，这样的情形，在许多人的青春期里，都是出现过的。即如我自己，在二十几岁时，有时就为脸上的一个本来并不明显的粉刺而愁肠百结，到头来还是忍不住去对镜硬挤，弄巧成拙，本是区区小事，却影响了做正经大事的心境。所以，如果我们在青春期中能提升自我的控制力，克服"胡愁情结"，岂不就能具有更卫生的心理，集中精神做好正儿八经的事情？

还有乱恨。比如说，我认识的一个年轻朋友，他就总对我说，他实在不明白某某歌星为什么走红！本来作为听众，对任何歌星都有褒贬的权利，他不喜欢那歌星，乃至厌恶，也都无所谓，他在我面前骂那歌星，我起初也都悉听尊便，但近来我就发现，他对那歌星的厌恨，竟淤在心中不能化解，以至于有时他做正经事时，偶有能引发出对那歌星的联想的因素出现，他便立时暴躁起来，"小不忍乱大谋"，很是不妙。我不得不为此专门劝说了他一番：就算那歌星虚有其名，或竟属于盗名窃誉，又与你有多大关系？或一笑不屑，或撇嘴撩开，不去听他，也就是了，何至于调动起自己满腔仇怨，在一旁"乱恨"呢？而青春期里，我们确是很容易乱恨一通的，浪费了自己的感情，也于人于世无益！

尽量减少胡愁乱恨吧，请现出一个开朗的微笑！

买站票

　　相信人们都有这样的心情：对向往已久的演出，如果跑去观看时发现已然满座，那就宁愿买一张站票，站着欣赏那心仪的演出。绝大多数买站票看演出的观众，因是甘心站立，所以看时不觉酸累，看完虽顿感疲劳，却也心满意足。但也有那买了站票进去，一边看演出一边瞥视有座的人，越看越觉"亏了"，看时已觉腰酸腿痛，出场后更牢骚满腹——这种人多半并非自己由衷地喜爱那满座的演出，而是被那演出的名声所蛊惑，尤其是因为"人家都去看了，我岂能向隅"的心理，故追风趋潮，晚到无座，又不甘放弃，才勉为其难，买了站票。

　　在生活中，我们每一个人都不免有情急难耐，买不到座票便买站票的时候。比如说，学英语、考托福、联系美国大学、求全额奖学金，起步晚了，大有"人皆有座，独我孑立"之慨，不仅入一个"保险系数"高的"托福班"已属不易，就是学得已很刻苦，那托福的考分早已被炒得六百分仍"不稀奇"。想当年这出"戏"还没"满座"时，五百分的也早飞越太平洋了，自己买了"站票"入场，"看"下去太苦，退出场又不甘，弄得真有点六神无主，兴味索然。再比如听说购到"首发股"的"股民"是"百购百发"，先是一旁羡慕，犹豫中没有"入座"，后来眼看着那"首批股民"果然大发，于是怦然心动，抢上几步，也买了后发行的"首股"，没想到却是一张"站票"，哪里有大发的保障？脖子伸得老长，也还没等来"天降馅饼"，那心情，当然也就是"十五个吊桶，七上八下"。又再如现在才进入集邮领域，虽说并不为"囤积居奇"，图个"日后拍卖中彩"，可左右一望，也是"人坐我立"，要获得大乐趣，亦非易事。有一位青年人跑来，气呼呼地对我说："怎么搞的？这世界上的座位，在没通知我的情况下，都让别人占住了！"他的感受，很有代表性。

是的，在开放的、活跃的社会中，你稍慢一步，各处的"戏"大都已然"满座"，你要么退出热闹场，要么就得接受"站票"。当然这样的世道也有好处，就是能磨砺人"捷足先登"的能力，催人及早"购票入场"，实行"好座高价"，"有座者心安理得享受之"。不过一般的人还是免不了要买站票。对买站票，我主张一要慎重，二要买定后甘之如饴。所谓慎重，就是一定要扪心自问：我真的热爱这出戏吗？如果只是出于追风赶潮，"人去我趋"，那就别轻易去买那个站票，如果确实心仪魂牵，那戏又健康优美，买了站票，就绝不自卑妒人，而是全心全意地"入戏"，终于获得与有座者一样的人生乐趣！

我有一位朋友，当年买站票看过一场"四大名旦"之一程砚秋的《荒山泪》，至今提起，还津津乐道，他从不去和当年那场子里有座位的人比，只和不懂得程腔的人以及虽懂却未入场一睹风采一聆妙音的人相比，永葆自得的欣悦感，我以为，这很值得买站票的朋友们效法。

反逆心理

读者可能会说：题目印错了吧！应该是逆反心理吧？

没印错，今天我要议论的，确是反逆心理。

不过，先还是得说说逆反心理。

大凡一个社会开放度不够时，大话空话废话老话充斥，空气沉闷，运作僵滞，人们，尤其是年轻人，就特别容易产生逆反心理。当社会开始转型、开放初期，这种逆反心理会成为一种时髦。也有人认为，逆反是任何民族任何国家任何时代任何社会的青年人心理成熟过程中不可避免的一种过渡性特质。不管怎么说，逆反心理是一种双刃刀——一方面，它具有冲破因循守旧、迎来改革标新的勃勃生气，对世道人心有春风疾吹的正面作用；另一方面，它又必然会矫枉过正，乃至起到把婴儿和脏水一齐泼掉的负面作用。对于社会逆反心理，尤其是青年人的逆反心理，因为那是一把双刃刀，所以必须慎重对待，切不可"一把抓"，最好是因势利导，使其刺腐之刃得到发挥，而伤正之刃尽量舞空。

逆反心理大膨胀，必导致反常之事渐多。比如说，以往社会对男女之事过分避讳，于是引出无限的神秘感，逆反心理便由此丛生，你越设防，我越逾矩。进入商品社会，则一班谋利者蜂拥而上，为迎合这逆反心理，或大打"擦边球"，或索性铤而走险，搞些个"准色情"或色情的东西上市。初上市，因填补了逆反心理者的"心理气囊"，大受欢迎，亦大获其利，但越积越多、愈演愈烈之后，社会上便会出现一种反逆心理，这反逆心理可不同于所谓的保守心理。保守心理，比如对待文艺作品的表现性爱，那是无论你怎么严肃怎么蕴藉怎么优美怎么有探索创新意义，他都会视为洪水猛兽，必欲禁之而后快；反逆心理则不然，它专针对逆反而生的"上市招摇的时髦货"，碰头便给它"一大哄"，表示"你一撅屁股，我就知道要拉什么屎"，"少来这一套"，而且，偏就又回归到非保守的反逆的趣味上去了。比如最近就有一位青年人到我这儿来借左拉的《娜娜》，说是"听说这里头既有情又有性还有同性恋，可是人家不起哄，是认认真真在体现一种艺术追求，又经时间考验，我青春有限，哪能浪费？我只精读经典名著，不读'托儿'现炒热了的'时文'"！噫！他竟煞有介事，出口成"理"！这让我想起社会上不少人（不仅是年轻人）在逆反心理把"伤痕文艺"推向极致后，渐生反逆心理，偏爱大唱"语录歌"，甚至大跳迪斯科化的"忠字舞"以自娱，他们当然绝不是要为"文革"翻案，他们往往并没有什么"形而上"的思路，只不过是面对过多的"逆反"，他们滋生了反逆心理而已。

　　这反逆心理也是一把双刃刀，它对盲目逆反达于膨胀有破解化淤的作用，但它又可能被保守势力握过刀把，用它另一刃伤害改革开放中的新生事物，所以，对之也须取慎重的态度，耐心地将之导入正常的理性之中。

耳根清静

有人与朋友熟人一见面或是通电话，总是要问：有什么新闻？他所希求的，大体是马路性质的，又特别热衷于耸听的，乃至于"危言"。我以为这多半是一种心理嗜好，而非有什么深意。如今这样的人似乎在减少，一位本来很爱向我打听和传播新闻的年轻人，最近就郑重向我宣布：我要从此求个耳根清静，谁也甭给我说那么些个水哩呱叽的破新闻，我要安下心来，做自己选定的事！

对这位年轻人的"耳根清静"取向，我并不那么赞同，尤其是刚听他宣称时，我不免觉得他自私，"天下兴亡，匹夫有责"嘛，你难道从此"两耳不闻窗外事，一心只读圣贤书"了吗？而且，很可能还并不是"一心只读圣贤书"而是"一心只读功利书"，乃至是"一心只谋囊中钞"，这样他的耳根倒是清静了，他的青春活力岂不也就萎缩了？

我同这位年轻人争论起来，他不慌不忙地对我分辩说："我不是从此不再关心国家天下大事，更不是不再呼吸民情舆论，但我觉得眼皮儿太杂、耳根儿太吵，终究不是个事儿，尤其是如今好多新闻越炒越离奇，越听越走板，于事无补，于心无益，我不如今后只取那少而精的听听，耳根清静了，才好避免夸夸其谈，才不会瞎耽误工夫，才好扎扎实实作点对社会有益、对自己也有利，而且也有趣又提气的事！"

他又说，"我现在常对自己说：有的事，何必搞得那么清楚？以前，一来是好奇心，二来有点把自己视为救世主，仿佛什么事我都该弄个水落石出，什么不合理的事没我出来抱打不平那就都是失职，结果我弄不清的到头来还是弄不清，我抱不平的事，打了半天也还是摆不平，或者没我出头，也有更合适的人凭借法律把它平了。我渐渐明白，我只能搞清楚也只有必要搞清楚一部分事，我的社会责任也只能具体化到这一局部之中，所以我不再那么浮躁，更不那么矫情，你或许会说我变得世故了，我却觉得自己是在走向成熟！"

我不以为然地对他说："你说了半天，无非是'不在其位，不谋其政'，以及'难得糊涂'一类的意思，这都是拾古人的牙慧，不是变得世故了是什么？"

他却又辩解说："我非官无位，不在公务员系列，所以谈不到谋任何的'政'，动不动就要求我这样的'民'负'政责'，无论哪方面来要求，我觉得都说不通。郑板桥的'难得糊涂'，也许是一种消极情绪，我可是积极的，我的耳根清静，以及不必把什么都搞得那么清楚，却恰恰是为了听精取髓，为的是不分心，把于人于己有益的具体小事做好，我倒觉得我这样的人多起来，我们的社会也许会进步得快些呢！"

我听了暂且只是沉吟，不知读者诸君作何感想？

炫财与炫才

炫耀，是个贬义词，无论炫耀什么，都不是真正光彩的事，北京人把炫耀说成"显摆"，又叫"臭美"或"烧包"，自我炫耀也好，通过"托儿"炫耀也好，其为一般人所嫌厌，相信各地皆然。

但如今炫耀之风甚炽，尤其是炫财，而且毫不含蓄，也不讲究一点"艺术性"，连雅一点的包装也不用，赤裸裸，光溜溜，"经济隐私"的意识几等于零，往往劈头便报出一串骇人听闻的金钱巨额，使一般工薪阶层闻之心惊，精神脆弱者真怕要即刻晕死过去。炫财，一般是暴发户的嗜好，真是那逐步积累财富而雅化的财主，多是不爱显山露水，甚至生怕传媒将其财力曝光的。记得 70 年代末，一位西欧人来北京时和我偶然提起对日本的印象，他说日本人也许是刚刚享受到经济起飞的实惠，所以全有点暴发户炫财的劲头，令他齿冷。80 年代我去了日本，在东京大阪一逛，果不其然，街上地铁里的那么多日本人，个个都穿得过分地讲究、过分地整齐、过分地鲜亮、过分地笔挺，而且居民区的家家户户，都仿佛竭力要把那富裕从门窗里故意地流溢出来，既是自豪也是炫人。像东京银座、新宿等闹市区，商店的装潢布置也未免过分地桃红柳绿夺目惊心。80 年代去了美国，印象大不一样，美国富得比日本久，美国人显然是富惯了，而且也知道世界上尽是羡慕他们的，所以不那么在乎用外在的标志提醒别人他们的富裕，一般的美国人穿得都很随便，往往是一件套头衫一条牛仔裤一双运动鞋，便很自得地走来走去，天热了，把羊毛衫脱下来往后背上一搭或往腰上一围，虽阔少或富妞也不觉"丢份"。除了大西洋城或拉斯维加斯那样的赌城，以及纽约时代广场、四十二街那类地方，许许多多非常高级的购物中心外表都很素雅，里面也无暴发的俗艳。当然这都只是笼统而言，日本也有避俗求雅的富人，美国更有根本不富乃至很穷的黑人、波多黎各人，等等，想来读者们不至误会——我只是想证实：暴发出炫耀，确是规律性的现象。

前些时坐火车旅行，在车上发现有两个年青人高谈阔论，开始是争先恐后地互问抢说《水浒传》里一百单八将的绰号，后来又大讲特讲世界上高科技的新发展新成果，一些旅客对他们不禁侧目，我的同伴中也有人嫌厌他们的聒噪，且认为他们明显是炫耀自己多知多才，颇不以为然。我却很觉他们可爱。别的民族不知，我们这个民族，传统中一般来说是很压抑炫才傲知的，即使真有大才，也以讷于言谨于行为德性，这一传统是精华还是糟粕且不讨论，面对炫财之风的日盛，我要说：与其炫财，莫若炫才！

蜡烛应无泪

9 月 10 日是一个节日，有多少人记得并重视这个节日？据说过"情人节"时，有许多男士给中意的女士奉献上了 24k 的金项链，而昨天这个教师节，据我前些天从报上看到的消息，说是某些地方的主管部门，宣布将在教师节前，把拖欠多时的薪酬，发放给当地嗷嗷待哺的中小学教师们。但愿这篇文章印出来时，全国所有苦于不能按时领到薄薪的教师们，都确得到了补发的拖欠薪酬，而且，从今以后，确能不再有拖欠教师薪酬的情况出现！

把教师比喻成蜡烛，想来是地道的"国粹"。我自小就读到"春蚕到死丝方尽，蜡炬成灰泪始干"，"蜡烛有心还惜别，替人垂泪到天明"这一类的传诵千年的诗句，因而一说到蜡，立马便想到蜡泪，形成一种或哀挽或悲壮的情怀。后来我当了中学教师，"像蜡烛一样，燃尽自己，照亮别人"便成了社会赋予我们教师群体的不可动摇的座右铭。这一比喻直延续到最近，不是有一部得奖的影片，片名就叫《烛光里的微笑》吗？那影片的海报上，记得仿佛就是一根流泪的红烛，映着女教师悲怆的面容，还没看片子，先就心里酸酸的。虽说从报上的争鸣文章里看到，有人对影片只强调无私奉献而未确立《香魂女》那样的主体意识，颇不以为然，但我却以为仅片名和海报，就很能概括出当今大多数中国人的"集体有意识"——教师的职业如烛，教师的生涯如泪，关于教师的戏必是苦戏，所以，"家有五斗粮，不当孩子王"！

去年我到北欧，那几个国家地处高纬度，冬天很长，冬日天黑得很早，第二天又亮得很晚，古时照明，主要靠蜡烛，用蜡时间既长，人与蜡的感情自不同于其他地域的人们，因此虽进化到了如今，电光已如此之普及，他们的生活中却仍处处置蜡，不仅越是高级的餐馆越讲究烛光下进餐，凡讲究一点情调的家庭，都必电烛并用。蜡烛于我本非新奇之物，因此开头也没怎么特别注意，但几天之后我就发现，那边的蜡烛几乎都是不管怎样点用，直到燃尽，并无烛泪的！惊喜之余不免询问，当地人答曰：以前我们的蜡烛也是流泪的，后来改进了，用一种比较新的工艺制作，就都不流泪了。不过，也还保留少数流泪的蜡烛满足有特殊癖好者，以及比如拍古装影片等方面的需求。

　　蜡烛原是可以不必流泪的！这一简单的事实，给予我们许多启示。教师节虽过，我们却无妨仍在一人独处时，感念一阵那些曾经或现在仍给予我们滋养的教师，也许我们无法在改进他们总体处境方面起到什么具体的作用，但我们如能先改变一下"流泪的蜡烛"的思维定势，从今懂得教师所需求于社会的，并非只是一份建筑在"泪烛"意向上的同情与怜惜，而是与高贵和尊严相联系的艳羡和仰慕，那么，也许潜移默化中，日积月累后，我们中国的教师们，至少可以拥有一个比以前好得多的"气场"吧！

自我陌生化

有一天你照镜子时，也许会忽然凝视着镜中的你，心中不禁自问：怎么，这是我么？

有一天你翻看着刚刚冲印好的彩照时，也许会对某几张照片上的你感到触目惊心：呀！我怎么会这么矫情？

有一天你正和别人说着话，忽然觉得自己的声音发飘，就好像正在说话的不是你自己，而是有一个隐身的家伙在你耳边不怀好意地学舌⋯⋯

这时候，你自己成了一个使你惊讶的陌生人。

这不是一种坏现象。这种自我陌生感，即使只在潜意识中游动，也是一个吉兆：它说明你对自己有一份良性的观照。

人有时实在需要跳出自己，用别人的眼光，来观照一下自我，这时往往先是惊讶，然后或许会难为情，会惭愧，会反思，会顿悟。

如果这种陌生化不仅是不经意地偶然生发的，而是比较自觉的，那么，就更难能可贵了。俗话说，人贵有自知之明，我们往往觉得自己最熟悉自己，似乎自知之明是不言而喻的，俯拾即得的。如果那么容易自知，自知之明也就并不珍贵了。其实我们往往是熟悉了别人，而摺生了自己，整天忙忙碌碌，连轴转，弄得对镜自视的工夫都没有，又遑论扪心自问！所以，有出息的人，他一定会每隔一段时间，便自觉地对自己陌生化一次，在那陌生化的过程中，他可以发现自己身心所增加的东西，哪些是好的，宜保留和加强的，哪些是坏的，务必及时戒除的。在自我调适的过程中，他又从陌生，恢复到自我熟悉，这样循环往复地衍进，他的生命流程，必永葆健旺鲜活。

有一位女士对我说，她每天早晚是必有对镜之时的，但她有一日忽然意识到，她虽每日对镜，却只不过是为了化妆，她的眼光，只在自己的皮肤眉唇上晃荡，竟几乎没有把眼光对准镜中自己的魂窗——眼神——凝视的时候！最近她开始自觉地对镜凝视自己的眼睛，她说她确实吃了一惊：她的眼神令她自己陌生！经过自我分析，她承认自己的眼神里有了过去不曾有过的冷漠与厌倦，为此她清夜扪心反思，得出结论：这一方面意味着自己在复杂的社会生活中心智走向了成熟，不再是以往的那个动辄大惊小怪、多愁善感的小女子；另一方面，也说明自己正在失去应有的热心肠与好奇心。于是，她决定调整自己的内心世界，以使自己更成熟也更美好！

又有一位男士对我说，他前些天在办公室里扬声高谈阔论，这本是他近几个月的常课，不稀奇的。但他那天在一瞬间忽然感觉到周围的同事都极为静默——尽管还都现出往日的微笑——他自己的声音回馈到他自己耳朵里，竟一下子变得极为陌生，就在那一瞬间里，他尴尬地中止了自己的聒噪，后来他一人静处时更回过味来，知道了自己应怎样调整自己的言论作为。

是的，那真很有必要——在一瞬间里，意识到自己的陌生；一个进步的新我，也许便在那自我陌生化中萌生！

忘年交

都说时下人情走向淡薄，真正有粘性的爱情已难寻觅，何况友谊。人们几乎个个都在想方设法找钱——贪赃枉法的且不去说他，就是在法律允许范围内奔财而去的人，他在"丁是丁，卯是卯"的细密算计中，那心眼儿里又哪还有搁放友谊的空隙？

发财固然是一桩美事，但豪门多怨、浮华生蛊，也未必就等于幸福。幸福与快乐究其底蕴，主要是一种感觉，而感觉是精神状态的上浮物，好比一个池塘，池水精神好，那上面的浮萍莲花才碧绿鲜艳。所以到头来人还是要有一点精神，而人的精神生活里，友谊实在是非同小可的一个方面。

友谊，一般来说，多存在于同性之间、同代人之间。最常见的，是从小学直到大学的同班同学，一直保持联系，形成较牢固的友谊关系。这样的同窗之谊，常能维系终身。

有一种友谊，存在于年龄相差很多的人之间，叫做忘年交；忘年交自古就有，多传为美谈，在中国时下，忘年交尤可珍视，因为如今的中国正处在转型期中，每一个个体生命，都面临着更多的困扰，身边的世道人心变化得如此之快，要把自己的心理状态调谐好，以适应客观万花筒的旋动，除了自我的努力，借助于友谊的滋润与启示，也很重要。

忘年交的特别好处，便是年龄大的一方，可以将自己"翻过几多筋斗"的宝贵人生经验，无保留地奉献给小朋友。而年龄小的一方，则可用自身饱蘸着时代活力的新鲜气息，给老朋友的灵魂增氧。这种互补作用，在目前尤为可贵。

我认识一位二十多岁的年轻人，他和我还够不上是忘年交，但我知道他和一位七十多岁的老文化人，不仅来往频密，而且很是相契。他在力所能及的范围内，帮老人作了很多的事，如代为复印文稿、投递信件，等等；老人也常为他"说古"，给他介绍一些好书。他们的这种交往，并无多少功利因素，小的不是想拜老的为师，也搞老的那一行，老的也不是图小的跑腿，捞个不开工资的秘书，他们互不承担义务，也没什么虚礼，其相交的乐趣，主要是在自然而然的交谈中，老少各有所得，我曾插在他们当中，参与过活跃的闲聊，老的给予小的，阅世之经验多于饱学的知识，小的带给老的，新鲜的思路多于斑斓的信息，对于他们的相交相悦和相补，我很是羡慕。

友谊与爱情相比，似乎更不好强求，缘分这个东西，确实是存在的。不过，我还是建议年轻的朋友，在可能的情况下，不仅珍视同代人之间的友谊，也争取能获得忘年之交，从老朋友那里，汲取独特的精神滋养，以使自己在这转型期的社会中，少些心理上的弯曲，早些成熟起来。

他人瓦上霜

"各人自扫门前雪,哪管他人瓦上霜",这话老掉牙了,是我们祖宗的一句自嘲吧。

细想起来,这话不那么"科学"。就算不自私,除了扫自己门前的雪,还去帮助别人,那也该是去扫别人门前的雪,别人屋瓦上的霜,怎么个管法呢?自家屋瓦上的霜,不也只好听其自然么?

但老祖宗这么说,并且一直流传至今,总有它的道理。

人生在世,管好自己,比如扫好自家门前的雪,当然是对的。如果真能各人扫好自家门前的雪,那也算是不错的局面。关键是不能把自己家的雪,都扫到别人家门前去。我想这是这句老话的第一层意思。但仅仅不损人,那还不够,人在扫自家门前雪时,偶然望见了别人屋瓦上的霜,这时心中应一动,动出个什么来呢?动出个关切同情之心!虽然他人瓦上有霜时,自己瓦上也多半有霜——大环境一样嘛,但能体恤他人,想到那霜瓦之下,可是温饱无虞?有几多愁闷,几多艰难?……这样,或许并没马上为人家做些什么,那份心意,甚至人家也不能知晓,但一种境界,是达到了。倘若各人都能有这么个心思,那么,这世道该有多么温馨!我想,这该是这句老话的进一层内涵。

如今社会向商品经济转型,人们都在"八仙过海,各找其钱"。有人说,这时候谁还管得了谁呀,自顾尚且无暇,别人的瓦霜只好忽略不计,什么农民的"白条子"不能兑现呀,有的地方邮局的"绿条子"竟让收款人一等再等不给取兑呀,若干县镇的中小学教师的工资拖欠已逾半年以上呀，某些国有大中型企业在转换经营机制的过程中没处理好中老年职工的安排问题，使相当一部分人收入下降生活困难呀……都离自己还远，关自己什么事？再说这些事听起来脑袋已经大了，管也管不了，想它作什么？且忙着为自己找钱为是，找到钱自己好好享受，把自己伺候好了，比什么不强？

上面的这种想法，在当前世道里，作为单个人的行为逻辑，实在也算不得多么坏，但如果成为了成片成群的想法与活法，而且还有蔓延之势，那就值得忧虑了。因为社会的生活平衡，也有其客观规律，简而言之，在生产力不高的情况下，实行人人消费平等的"大锅饭"，社会生态必趋共同贫困，如光秃秃的野岭。而在生产力迅速发展的情况下，暴富者与未富者之间的消费水平过分悬殊，再加上普遍的自私心理和短期行为，那社会生态亦会失衡，搞不好会引发"山火"。所以，就是西方国家一些顾及到长远利益的富人，他们在扫自家门前雪的时候，也能大体遵守"不能把雪扫到别人门前"的"游戏规则"，有的也还能顾及"他人瓦上霜"，拿出一些钱来搞慈善赈灾和公益事业，乃至养文化保国粹。看起来他们是"多管闲事"，其实，这样他们也就更能保持自家的"门前清爽"。

是的，当我们望到别人的瓦上霜时，也许确实帮不上什么忙，但望瓦霜而生关切，总还是于自己良心和社会生态平衡都有滋补的啊！

直觉的双刃刀

"我一眼就看穿了!""我立马觉得不对头!"

"一听那话,我就觉得味儿不对!"

"就要这个!没道理,你听我的没错!"

"一个神秘的心音告诉我:就这样,就这样……"

这类的直觉经验,几乎每一个人都拥有一堆。往往直觉判断,会被事物的充分显现或发展过程所证实。而且,更令自己回想起来无比惊讶的是,有的事虽经一再地颠过来倒过去地思考、掰开了揉碎了地分析、谨谨慎慎地作出决定付诸实行,其后果反而不那么美妙乃至于极为糟糕。所以有人总结出一条规律:一人一事当前,你千万要珍惜第一印象第一念头,而且,如果那印象和念头是强烈的,你就要抓住不放,将其作为判断与决策的坚实依据!这样为人行事,必无往而不胜!

直觉确实非常可贵。一事当前,直觉升涌得快捷而浓烈是一种心理财富,应当珍惜。直觉是我们在社会生活中磨砺出来的感应快刀,其中饱含着经验教训、信息积累和感情升华的浓汁,任何想通过"错觉效应"来蒙蔽我们感知判断的人与事,往往败在我们的直觉之下。我们那直觉的快刀,能轻而易举地削下假面和画皮;同样,直觉也可以让我们不受俗见和外界的束缚限制,一下子抓住好的宝贵的人、物、事不放手,特别是抓住对于我们格外紧要的机遇。如忽视直觉,上当受骗的可能性虽也未必有多大,与美好的人与事,特别是与难得的机遇失之交臂的情况,那可一定会有，等逝不可追以后再后悔痛心，那可不妙。

但直觉是把双刃刀。直觉的弊病在于，它往往含有相当的非理性成分，特别是如果我们的情绪处在不稳定不正常的状态中时，那时的直觉就很可能是病态的，卡通化的，我们凭借直觉"一刀切"时，不仅仅可能切出个方方正正的效果来，还很可能切伤了我们自己。就是我们的情绪处在最佳状态，光凭直觉也还是有可能眼误耳误心误，因为这世界这人生实在太诡谲多变、太深奥莫测，特别是涉世还不太多也不太深的年轻人，过分相信自己的直觉，那就很可能认鱼眼为珍珠，或错良机而就窘境。

也有人总结出一条这样的规律："切不可相信你的直觉！凡人凡物凡事，形成比较准确的认知，都不可能在第一印象和第一念头之中！三思而行，乃永恒的真理。"

我是折中的看法：不要轻视直觉，因为直觉是没有受到功利杂念污染的东西，所谓的三思而行，往往很受鄙俗的功利杂念干扰，"思行"往非良知方面歪斜；但过分夸大、依赖直觉也不好。只有把直觉这把双刃刀使用得当，才能如"疱丁解牛"般游刃有余地在社会生活中自己顺畅欣悦，也与别人配合默契，两相得益。

青春不怀旧

怀旧是一种很容易随着岁月的增长而滋生而膨胀的情绪。人过中年以后，这种情绪便会经常浮到意识的上层，而人到老年，则很可能整个儿由怀旧之情统治全部的心境。一般来说，这很正常。对于个人来说，怀旧是一种对人生况味的反刍，是一种心灵的享受，也是一首无音的妙曲。完全无旧可怀的老人，要么他的思维能力已然轰毁，要么他是个极为不幸的人。

但青春期里，如果总是产生出酽酽的怀旧情绪，我以为就不好了。我认识一位大学生，她入学一年多了，却还不能适应大学的生活，总是没完没了地怀念中学的同班同学。其实上中学时是走读，和同学的接触也紧密不到哪儿去；上大学后是住校，同宿舍的女生几乎天天生活在一起，别的几位同宿舍的女孩子很快成了舍友，唯独她总是闷闷不乐、格格不入。她一得闲，不是去和大学的同学交往，却是给中学的同学写信，或打电话。开头她寄出的信必能很快得到回信，后来，回信就来得慢了，有的，她接连写去几封，却有去无回，气得她一个人暗哭。她给中学同学打电话，经常找不见人，好不容易对上话，人家总叽叽呱呱讲些人家那个大学里的事，又没完没了地问她她们那个大学里的事，而她只想跟中学老同学回忆中学里的一些趣事……结果是话不投机，电话越打心里越酸。她也曾在星期天兴冲冲老远地跑到中学老同学家去，谁知一进门就发现人家正跟几个也是到宾馆当了服务员的同龄人热热闹闹地挤在沙发上看录像，人家都欢迎她一起玩，她却只坐了一小会儿就跑出来了，出了人家家门她咬着嘴唇在风里走了好几站路，心里特惆怅，直想哭。

这位女大学生，她的感情，完全固定在了中学生活中，简直再不能挪移到新的环境新的生活里去。她的怀旧，从道德的角度，不仅无可指摘，甚至还可以赠之以纯洁、真挚、美好等等褒词，但从心理的角度，却只能说是一种有害的偏斜。对于一个处在青春期的个体生命来说，心理上不是不可以经常地"回望"，但青春的心性，应是更多地热衷于新的天地、新的角色、新的人际、新的尝试、新的体验，乃至于新的开拓、新的冒险、新的花样、新的浪漫。对于中学的同学，在进入了大学之后，当然仍可并一定会有少数人能维系住较久远的联系，甚至成为终生不渝的朋友，但大多数，是应当并势必要逐渐脱钩的。大学毕业后，对大学的同学，亦应是同样的一种任生活之筛筛取的态度。人从青年到中年到老年，一般都会转换若干次人生舞台，每一次转换都势必要弃一部分乃至大部分旧，而迎来许多的新，适应这种人事的转换，不是道德上的"喜新厌旧"，而是作为社会人的正常生活方式和心理结构。只有到了老年，当一切都如百川汇海，停止了奔流状态，退出了社会漩涡，虽仍可能波澜壮阔，那倒无妨充分地怀旧，把往昔的人和事反刍个够。

所以我说，青春不怀旧！前面还有漫漫长路的青年朋友们，唱着豪迈的歌开步走吧，且不忙回头眷念！

从中心到边缘

　　人在一生中，有可能进入社会生活的中心地段，乃至于卷进中心旋流甚至于处于涡眼。那是人功成名就的时候，又可比之于登塔至最高一层，或攀岳极顶，那种穷千里目、览众山小的快乐，确是难以形容的。但绝大多数的人，尽管一度或很长时间处于社会生活的中心区，却终有转向社会边缘的时候。有的人从中心向边缘转化是突然的，有的则有一个渐进的过程。多数人是被动地转化，只有少数人是自觉地转化——或功成身退，或知难而返，或顿悟而遁。

　　时下的中国，整个社会生活正处在转型期中，因此，从中心向边缘移动的人，就比以往更多。许许多多的干部离退休了，他们从会议中退出，从听取指示和指示别人的生活机制中退出，有如离开了一台大戏的角色，卸装后徒然听着前面台上还在热闹演出的音响，真是别有一番滋味在心头。还有某些知识分子，他们戴着那象征学问的眼镜，一度是"知识就是力量"的化身，引来多少如花美眷的爱恋追求，但时下占据一般仕女之心的，已是身着皮尔·卡丹西服、手握摩托罗拉"大哥大"的大款形象，前者是由中心向边缘移动，后者则是从社会最边缘的位置，游向中心。

　　人生的祸福难测，从边缘跃入中心，未必是福。"文革"中的若干"卑贱者"，被誉为"最高明"后，忽然升为政治明星，其实他们是并不能胜任那种"中心角色"的，所以他们演出尽管努力，却并不成功。"文革"后他们又被从中心甩向边缘，还要他们"说清楚"，其实他们本是清清楚楚的。回到边缘，过普通人的不被人注意的生活，对他们中的大多数人来说，是离祸得福。

　　古人早就说过："高处不胜寒"。中心部分有旋涡，那就不仅是高而寒的问题了。所以高寒和涡眼都不足羡。人生在世，从边缘向中心转移时，不要得意忘形；反之，亦不要惘然无措。总是随缘才好。

放　松

　　放松是真正的养生之道。放松是通向长寿的金桥。

　　现代社会，生活的节奏日益快捷，作为社会人的个体生命几乎经常处在高度紧张的运作中，不仅身体时感疲惫，心理压力更造成难以摆脱的焦虑。失眠成了和感冒一样的多发症常见病，而能入睡也未必就能有效地消除身心的劳累，许多人的睡眠只是浅睡眠，还经常伴随着即使不算噩梦也使人醒来头晕心跳的潜意识残片。奔、奔、奔，是大多数现代人白日的生存状态；虑、虑、虑，是大多数人夜间的主要功课。即使已获得一定程度的成功，总期望能尽快地"更上一层楼"；即使已赚了不少钱，总还是免不了被"贪得无厌"这个魔鬼套上鼻环；淡漠了终极要求的现代人，快把自己变成追逐此时此地此身此意的"大快活"的一架永动机了。

　　于是有一部分现代人率先意识到，从极度的紧张和焦虑中拯救自我是当务之急。且不说灵魂即心的自救，就保身即延命而言，关键在于放松。放松的方式大体上可分两种，一是全面活动肢体的运动，如打球、跑步、游泳、登山，等等；一是全面静止肢体或缓动肢体的各类气功。第一类，所放松的其实只是脑，越来越感到身体疲惫的现代人逐渐少取或不取此法；第二类则身心一齐放松，而且在投资上极为节省，或竟无需投资，也不需要多么特殊的场地，所以近年来大行其道。当然，也有娱乐放松法，如听听音乐，跳跳舞，或至少回到家里"胡乱"地看几眼电视。

就整个社会而言，如节奏竟十分缓慢，处于群体的放松状态，个体生命置身其中毫无压力感，那并非佳境。

不要抱怨我们所处的社会节奏太快，且在参与快节奏的转型运作中，时不时地放松放松自己。

败 兴

生活中会得到乐趣，生活中也难避免败兴。

我们本能地寻求乐趣，我们本能地逃避败兴。

但，寻求的，往往得不到；逃避的，往往扑面而来。

生活中不可能总是败兴，生活中又几乎不可能全然不遭逢败兴。

从某种意义上说，败兴是我们生活中的常客，我们要习惯于接待这个不那么美妙的客人，与他和平相处。

因遭逢败兴而光火，而愤世嫉俗、怨天尤人，不但无济于事、无补于世，对自己而言，也只是徒然地既伤身又伤神。

要懂得，这个世界的乐趣不是单为我们个人而存在的，我们能分享其中的一部分，已算幸运。

要知道，败兴的事，亦不单降临于你一个人。这世上，遭遇到更多更严重的败兴事的，几乎可以肯定，是比你更不幸的人。

还要憬悟，生活中的乐趣固然是我们生存的主要动力，但乐极可能生悲，欢竭或会招祸；而适度的败兴，却可以使我们清醒，使我们警策，使我们在生活的路上，趱行得更正确、更谨慎，也更从容。

不能承受败兴的生命，必是脆弱的。

不惧怕败兴的人，方能充分地享受人生之乐，并达观而坚韧地朝既定目标进发。

戏　说

荧屏上演过《戏说乾隆》，现在又开演《戏说慈禧》。

剧名上标明了"戏说"，便排除了历史学家们的口舌，也确立了"聊供一观，聊博一粲"的通俗品味，令专爱"严肃文艺"的批评家和观众免对之"严肃"。

荧屏上可以"戏说"，荧屏外也可"戏说"么？

当然不能机械地类推。大体而言，戏如人生，人生如戏，但细究起来，戏可一味地"儿戏"，人生却不能总是"儿戏"。戏里人生，那随意的空间，比较宽阔。

人生里的戏谑，那优游的空间，却比较有限。

人生里的戏谑空间虽有限，毕竟还是有，而且，也未必如砖缝那么狭促。砖缝中的青草尚且还可以蓬蓬勃勃地绿成一片，人生中的"戏说"，何尝不可星星点点地缀耀我们辛苦的日课？

在严肃地对待人生的责任、认真地履行公民的义务的前提下，我们无妨说说怪话、开开玩笑，马马虎虎，随随便便，说过就忘，充耳不闻，忘年嬉戏，没大没小，不知今夕何夕，哪管东西南北，尤其在休息日、节假期、家庭中、亲友间。如果连这样的"戏说"都没有，人生该是多么枯燥、乏味！

西方有"狂欢节"、"万圣节"，在那一天，街巷田原都成舞台，任人扮演任何想象力可以达到的角色，整个是一派"戏说"的人间奇景，通过这样的限时"胡闹"，使人们潜意识中的欲望得到充分的发泄，这样，当人们又回到各自或乐于或不得不扮演的社会角色中时，就反而能更称职，更谐调。

其实，我们也可以创建类似的节日。

犹　豫

任何人都犹豫过。犹豫导致两种后果：或犹豫而中止行动，或超越犹豫而断然采取了行动。有时犹豫后的无行动让我们欣慰，甚至感到后怕；有时候却让我们跟好事失之交臂，悔恨不休。相反，有时我们克服犹豫的所做所为，其结果并不光彩；而有时却亏得我们不再犹豫，勇于行动，才获取了成功之果。

什么时候应犹豫不决乃至终于放弃行动？

什么时候应排除犹豫断然地把事情付诸实施？

大体而言，凡有悖法理、人情、公益、尊严之事，犹豫都不仅必要，而且在犹豫中使理智、良知、道德、自爱迅速达于浓醇，以制止可能出现的行为，都是自己和他人之福。

大体而言，凡仅仅是碍于脸面、患得患失、难操胜算，因而犹豫，那就应调动起自己的正义感、竞争心、自信心，果敢地超越犹豫，断然行动，积极进取，就算失败，或事倍功半，也都不必愧悔。

1977年夏天，当我拿着短篇小说《班主任》的稿子，去东单邮政局投递时，曾犹豫过：因为那时还未公开否定"文化大革命"，我这篇抨击"文革"乃至追索到"文革"前极左罪愆的小说，很可能会被视为"反动"，所以，我都走进邮局了，犹豫中却又走了出来……终于鼓起勇气交给柜台里的工作人员了，又觉得人家服务态度不好打算收回……但到头来我还是克服犹豫，把稿子投了出去。结果小说发表，引起轰动，我因此走上文坛，陆续又写出了很多作品。倘当时我因犹豫而导致"打退堂鼓"，那也许就与历史机遇交臂而过，现在是个什么情况，很难说了！

厌 倦

厌倦是我们常有的情绪。

和不少人的看法相反，我以为厌倦这种情绪，大体而言，是良性的。

对某人、某些人的厌倦，也许恰恰是自我精神境界提升的一个信号。一位年轻人对我说，他忽然对原来崇拜得五体投地的一位歌星感到厌倦，他发现该歌星其实是个脱去包装便平庸得连他还不如的人物，比如说，那歌星不仅不识五线谱，甚至简谱也读不畅快……

对某些事物的厌倦，也很可能是自我激励、振作精神的起点。比如一位朋友就对我说，他忽然感到以往常搓的麻将，实在无甚意味，总是那么几个人，总是那么些"方砖"、"围城"，总是那么些荤话和叫嚷，总是那么些布满细菌的小钱……烦了，腻了，懒得再搓。他倒不是从理性上否定"搓麻"，也不是为自己以往的"搓麻"愧悔，他只是厌倦。这样，他就开始建立起新的业余爱好，新近他参加了一个京剧票房的活动，他也并不认为唱京剧就多么高尚，但他兴致勃勃、神采焕发，显然，他这种"喜新厌旧"，具有积极意义。

时下的年轻人，似乎比中老年人更放纵厌倦的情绪。有的小两口，忽然协议离婚了，他们说并没打架，更非反目成仇，只是双方都感到了厌倦，厌倦了为什么还凑合？所以好说好散，散得静悄悄的，从此两人各自再觅佳伴。还有的小青年，头两天递你名片，还是甲公司的，过几天再遇见，名片上却又标着乙公司了，一年中，甚至就跳几次槽，问为什么不在原来的地方了？说没有什么，只是感到厌倦。频繁跳槽虽非良习，但不将就所厌倦的环境，执著地寻求最能发挥一己才智的地方，还是值得肯定的。

当然，如果厌倦情绪弥漫、浓酽到针对所有的人和事，那就是厌世，属于病态了。

不要害怕厌倦感袭上心头，问题是：把它引入良性机制，而不要被它伤害、吞噬。

为古人担忧

"何必为古人担忧？"这几乎被视为毋庸讨论的一条训戒。读书、看电影，甚至看电视里的肥皂剧，因为那里面的人物遭遇不幸，历尽艰辛，乃至衔冤而死，死不瞑目，从而唏嘘感叹，痛心疾首，这说明观者有一颗善感之心，把古人、故事中人、与己无功利关系的人，引为胞泽，视为同类，在心理上达到有福同享、有难同当、荣辱与共、同仇敌忾，这实在并不是一桩坏事。在这样的"担忧"过程中，自我的正义感、是非观、同情心、判断力，都能得到张扬，以"何必"将其扫荡抛置，我以为是轻率的。

我因为自己也忝列作家一行，经常写些"古人"的事，一来如今时髦的创作法则，强调作者要冷静，要与所描写的人事保持距离，以不动声色为最好，如能超越是非曲直爱憎恩怨，达于"空无"、"静虚"，更可能得到评家的赞誉；二来即使自己写作时很投入感情，毕竟"曾经沧海难为水"，读别人所创作的东西，总觉得能窥破他那点子煽情造氛的手段，所以冷眼旁观之中，也就绝不"担忧"、感动。我不为自己这一状态自豪，相反，我对此非常惆怅。

"为古人担忧"，确是一种古典情怀，"古道热肠"在这"后现代"里已非常罕见。人们也还有"热"，不过多施之于权、钱、玩，施之于己，而吝施于他人，有的是连亲属亦弃之不问的，又遑论"古人"乎！但愿这不至于成为一种"常态"的"心理格局"。

只要掌握好分寸，能入能出，不滞不溺，面对书本影视，"为古人担忧"一番，实在是有利于身心的。

树　友

　　你的生活中自然会有树，什么树？就是你院中的树，或窗外的树，或你每天路过的街道上的树，或公园绿地的树，或田野山林中的树……大树，小树，古树，新树，落叶树，常青树，开花的树，无花的树，枝繁叶茂的树，瘦骨嶙峋的树，青春焕发的树，半枯发蔫的树，姿态优美的树，蠢然丑陋的树……是的，同你每天有意无意总要与这个那个人接触一样，你每天一定会接触到一棵以上的树。在你所接触的人里，有你的朋友吧？那么，在你接触的树里有你的朋友吗？

　　我的邻居老佟，有一天，我偶然看见他站在楼下绿地一隅，面对一株小叶枫，神态很特别，嘴唇蠕动着，我就过去招呼他："您怎么一个人站在这儿，自言自语啊？"他回过神来，见是我，便对我说："怎么是一个人？我这不是在跟他说话吗？"他？他是谁？原来，老佟说的"他"，便是那株小叶枫。开头，我觉得老佟这么个行径，有点神经兮兮的，可是听他跟我细讲了讲，我就很服膺他的作为。

　　我们中国的文化传统，很讲究"天人合一"，西方人，现在也很讲究环境保护，不管从哪个角度来讲，我们人和自然界，尤其跟动植物都应是一种亲和的关系。老佟说，不要总是麻木地对待我们生活里所见到的这些树，光是笼统地觉得它们好，绿得可爱，也还不够。他说，应当至少从那许多的树里，找出最能与自己心灵相应的一棵来，交一个树友。他就跟这株小叶枫，交上了朋友，常到"他"跟前，与"他"进行动情的交流，诉诉自己的感怀，诵诵古词新诗，而从小叶枫枝丫的摇曳、叶片的光泽、树形的变化、气息的氤氲中,他感到一种丰富的回应……他说,在这样的交往中,不仅身心俱畅,而且,有一种升华融汇于天地万物之中的快感!

现在,我也有了自己的树友。

即使仅仅作为一种小小的生活情趣吧,我也建议读者诸君,都从日常所接触的树木里,找出一株自己最喜欢——起码是最顺眼的,当做朋友,哪怕是仅仅在路过时格外地对"他"多关注几眼,那潜在的好处,也是妙不可言的!

将就是夫妻

一位朋友和妻子离婚了。他说，他不能再跟她将就下去了。

当然，在一起生活，徒然只有将就的感觉，不仅乏味，而且生出酸涩之味，确实不如好说好散。

更关键的是，朋友跟一位女士，共堕于爱河。我不是道学先生，无责于朋友的感情转移，这是他的私事，他们的私事，由他们去协调。我同他、他的前妻，以及他那位我也早就认识的新欢，都还保持友好的关系。

不久，朋友跟新欢正式结婚，我出席了他们的新婚"派对"。

但没有多久，朋友又苦恼起来，有一天喝醉了酒，跑到我这里大诉其苦，说他并不是不爱现在的妻子了，但他实在无法忍受她的某些生活习惯，而这些习惯，她又是不可能改正的。其实，我听起来，他的若干生活习惯，对方的难以适应，也是一样的。这可怎么办呢？我劝他将就。"将就？！"他瞪着我，好像我在灌他毒药。

终于，朋友又与他的第二个妻子分居了。他说，他是现代人，不想受传统规范的约束，他一定要寻求到真正理想的夫妻关系，建立不仅美满，而且是"艺术"的现代家庭。

他与第二任妻子到头来还是离了。不久，他与第三个恋人同居。没想到不足半年也闹翻，他跑来对我说，绝不是他这人感情上见异思迁，实在是因为两个人性格上的差异，使得无法在一个屋顶下协调——除非将就着过。

　　我对这位朋友的道德，毫无訾议，真的。但我不能苟同于他那种绝不将就的家庭观。

　　说穿了，哪一个个体生命，是真能跟另一个个体生命，严丝合缝地相契合的？生命的这悲剧性一面，实是无可绍逃的。除非只恋爱，不成家，只要结婚成家，就是最恩爱的夫妻，也必有相互将就的一面，惟其能将就，才成其为正常的夫妻。人类社会，代代相传，生生不息，说穿了，很得力于人与人之间的相互将就。当然，不能光是将就。只剩下将就，不好，如是那样的夫妻，该离；但要百分之百地不将就而又和谐如一，我以为近乎神话。七分和谐三分将就，已甜美如蜜；和谐与将就对半，应属常态，人生中成家后能如此，已算喜剧。信不信由你！

不愿意什么

前些时候看足球世界杯比赛的实况转播，许多球迷常为赛场上裁判的不公而愤愤不平。确实，大体而言，不少的主裁判是偏向相对国富名彰的一方，令相对国弱名凡的一方吃了不少的亏。我的一位朋友，因此决定正儿八百地给萨马兰奇写信，建议今后的世界杯大赛用绝无偏倚的机器人任主裁判，以求得"绿茵场上队队、人人平等"。

人们愿意看到真正公正的比赛，人们要公正——不仅是足球比赛。

这当然是非常正确的愿望，非常值得尊重。

但是，人们在公正的问题上，往往只有单向的思维，而不能使其深刻化。

当年美国力主废除蓄奴制度的总统林肯，当有人问他：你为什么反对奴隶制？他答曰：不仅是我不愿意当奴隶，更主要的是，我绝对不愿意当奴隶主！

林肯的这一精神境界实在值得我们学习。

我们看不惯不公正，反对不公正，应当是基于这样的想法：不仅是我们不愿意身受不公正的待遇，更重要的是，我们不愿意使自己堕入对别人实行不公正的渊薮！

"愿意什么"即"愿意怎么样"，这样的心情是不难产生的。

"不愿意什么"特别是"不愿意自己成为对他人而言的什么"，这样的思想是必须有博大的胸怀才能产生的。

我们要努力使自己的胸怀朝这个方向展拓。

　　我们不仅应同情他人所遭受到的不公正，不仅应气愤于有人施于他人的不公正，不仅应对自己身受的不公正做合理合法的抗争，而且，我们更应警惕自己头脑里行为中滋生出凭借对他人不公以维护、增多自身利益的因素。

　　从这个意义上说，戒除世上人间的不公，应从我们自身做起！

畏 惧

　　我们常常颂赞无畏。其实值得颂赞的无畏应是有前提的：出于正当的、正义的目的，采取行动时，所具有的那种心态。比如说，为了保护国家财产，或面对行凶作恶的歹徒，不计个人安危，挺身而出，那种毫不怕邪、英勇进击的无畏，当然令人钦敬。再比如，为工作中做出成绩，或为在业余爱好中获得成就感，而敢于竞争，敢于创新搜奇，那种不畏强手、不在乎讥讽鄙夷，一往直前、义无反顾的劲头，也当然都是难能可贵、理应肯定的。

　　可是，我们也应清醒地认识到，并不是任何一种无畏都是值得赞美的。愚勇蠢动之误事自不必说，那种为了一己的私利，欲焰万丈、恶胆包天的"无畏"，更是绝对要不得的，人要是堕入了那种"勇境"中，必成为社会之公害，也必自取灭亡。

　　一个正常的人，除了必要的无畏，他还应有所畏。建立在良善之上的畏惧之心，是一种美德，一种修养。

　　是的，你要畏惧来历不明、来意可疑的亲近者，要畏惧"白白"送上门来的钱财，还有那后面分明有着埋伏的女色，以及所谓"必有后报"的许诺，所谓"人不知鬼不觉"的"保障"；你要畏惧纸包的火、阴鸷的笑、涂蜜的谎、沙铸的誓；你要畏惧人造的黑夜、袭心的烟瘴；你要畏惧贪婪的利爪、纵欲的蛇妖；是的，你不仅要否定这一切、鄙弃这一切，你还要心存畏惧——不是畏惧对方的强悍，而是畏惧自我的软弱，畏惧人性的缺陷，畏惧失足的后果，畏惧真、善、美的沉沦。

　　是的是的，在这充盈着太多蛊惑的世道中，唯有你心存必要的畏惧，你才能产生出必需的无畏！

"穷人意识"

在某单位开面包车的司机小洪，是我的好朋友，有一天我们聊着聊着，他忽然感慨地说："我很清楚，我是一个穷人！"

要按"旧社会"乃至"旧时期"的标准，他这话实在罪过。他如今不仅温饱无虞，而且过得还算快活，我知道他和在食品店当售货员的妻子，一月的总收入总在八百元左右，还不算偶尔发放的奖金和实物福利。就是他发那感慨的时候，穿的是一套挺新潮的水洗装，推了个挺帅的板寸头，腕上还戴着块金闪闪的大手表。

我们是在谈及"下了班怎么玩"时，他脱口说出那个话的。他说也不过是跟谈得来的哥儿们侃侃山，要么，就下下棋、打打扑克，"去不起卡拉 OK，进不起 KTV 包房，更别说别的什么高级娱乐场所。那些高档购物中心虽说可以白进，进一次也就头晕，再不愿二进宫……"他说他那身水洗装是在大排档的摊上买的，头是在街边剃的，腕上的手表是只值几十块钱的石英表，"所有行头加起来顶多二百来块钱"，让那些真讲究、玩名牌的行家一看，"肯定得笑个满地找牙！"

小洪的这种"穷人意识"，据我从旁观察，倒成了他自我平衡心态、从容应付生活的良性思维。

在社会迅猛地向市场经济转型的过程中，社会成员之间的经济状况也急速地拉开了距离。面对一批漫画般膨胀起来的大款，特别是他们那甚至连一般西方人见了也目瞪口呆的消费状态，习惯于"大家差不多"的普通中国人，心理猛烈地倾斜起来，有的便不免牢骚满腹、耿耿于怀，乃至于嫉富惭贫、闷闷不乐，更有的在心里打上了个死结，个人又难以改变这样的世道，于是竟积郁成病、穷愁潦倒起来。

当然，疗治这一心理疾患的药方，已提出不少，如反对拜金主义，提倡清贫，召唤道德女神，等等，但这都还不是自疗的手段，而小洪的一声"我是穷人"，却如自我棒喝，立即遍体清凉，很有顿悟的味道。也许有人说，这算得了什么呢？但请细想：十多年前，当你的邻居置下了大彩电而你的钱还没攒够买不起时，你无论是嫉妒还是无所谓，你都并不面临一种个人财富差距高不可攀的世道，必得给自己来个贫富定位，而且，你即便意识到了别人的富裕，也很难产生真正铭心刻骨的"我是穷人"感。这几年情况大不一样了，有人不是比你多几件家电、多几室几厅、多几千几万的存款，而是光音响上的一条"发烧线"可能就值好几万，拥有独立洋楼、高级小轿车，进一次购物中心就是几万的消费，养的一条名犬或一对金龙鱼的价值以你目前的工资额够开上你十年的……这种情况下，能暂且在"怎么搞的"、"凭什么"的思路中开出一道"啊，我承认自己是穷人"的清凉径，就并非人人皆甘心、皆容易的了！

小洪的这种"穷人意识"，摒弃了计划经济下"人人差不离"的思维定势。对暴富一族的自我约束不抱幻想，也并不是自甘清贫，他自己没有丧失道德感却又能冷静地面对不少数量的道德沦丧，因此他起码能作到心平气和、自得其乐，不去盲目攀比，不妄想天降馅饼，在个人的消费上，且"守着多大的碗，吃多大的饭"，"可着脑袋做帽子"，他并不是"一声何满子，双泪落君前"，而是"一声吾穷人，悠然度时光"。

我虽很欣赏小洪的自嘲和圆通，却也并无号召读者都长喟一声"我是穷人"以释心结的用意（何况有的读者可能根本就是地道的富人），这年头，有几个人能包治心理百病，有几多味心药能驱淤化滞呢？我们芸芸众生之间，茶余饭后，进不起演歌台一类场所，侃侃，亦可破闷解忧，我将小洪的一句话，聊作瓜子儿罢了，你就嗑嗑罢！

抱惭而进

我半生中惭愧的时候很多，之所以惭愧，无非是两种原因：一是自己做错了事，一是自己不如别人。但我这人虽时生惭愧，却几乎从不"抱惭而退"。

依我想来，只有不仅是惭愧，而是达到愧作、羞愧的地步，才实在是该退。也就是说，不仅做错了事，而且，之所以错，根本就是因为没安好心，搞阴谋诡计，意在损人利己，没想到却败露了，"偷鸡不成反蚀把米"，那时不是冥顽不化，而是愧悔不迭，故"抱惭而退"。扪心自问，我虽有若干错失，却都并非出自坏心、意在损人，故在我来说，只有"跌倒了爬起来，吸取教训，继续前进"的心理与行为，而绝无"抱惭而退"的表现。当然，对那些损了人而又未必多么利己，碰了钉子能"抱惭而退"者，我是可理解与宽容的——哪怕他对我本人有过"侵略性行为"。

现在主要说说第二种情形，就是自己并无错误，甚至也还有些成绩，但拿自己和另一些人比，实在是大为逊色，或竟相形见绌。俗话说："人比人，气死人。"这里有个普遍人性的问题，"人往高处走"，是心气上提；"人往高处比"，是心气自泄，大多数人如是，不过自我克制，凡事多拿自己现在比从前，而不去攀比别人，还是比较容易做到的。问题是，很多时候，不是我们自己要去跟别人攀比，而是别人——往往还不是那拿来作比的例子，而是"第三者插足"——硬要我们卷入这一攀比，其效应，就经常搞得我们意趣索然，抱惭而退。回顾自己半生的行程，值得自我肯定的一点，便是我大体上做到了拒绝攀比，无论别人多么尖锐、冷酷、谐谑、泼浪地把我拿来与高过、强过、新过、超过我者相比，也无论那比法多么富于蛊惑性、撩拨性、挑逗性，我惭愧当然真是惭愧，却并不被其"吓退"。尤其最近几年，我乐于承认我这辈子永远竞争不过那些高过我、强过我、新过我、超过我的人士了，我的总运动趋势，是从中心向边缘转移，从热渐冷，从快转慢，但我抱惭而不退，也不停顿，我还持续向前，并坚信，我还能有自己的发展空间，有自得其乐的耕耘与收获，在生活中还能有自己的坐席，有远比惭愧悔惜丰厚的无愧无悔的另一个心理层面。说来也怪，我越这样地"抱惭而进"（夹着尾巴跑步？），日子倒过得越舒坦，成绩也竟比自己和他人所预计的倒更大些。引得有人跑出来说：你哪儿是"边缘化"了呢？就是"边缘"了一点，也还是挺惹人眼的嘛！当然，我心里不糊涂，拿"更高、更强、更快"特别是"更新"的标尺把我量得"原形毕露"的好心人，还是居多，我的心理机制，还是要继续既保持真正的惭愧，又牢不可退！

我常把自己的这一人生态度，讲给来向我求教的青年人听，我总是劝他们：你可以"抱惭"，却千万不要因此"退却"，你的智商不如人家高吗？你考试的成绩不如人家棒吗？你没能考上大学，或所考上的学校不如人家提起来那么"响亮"吗？你的职业不够"堂皇"吗？特别是，你挣的钱不如人家多吗？你的机遇和运气总没人家那么"巧"和"旺"吗？假如你弄文学，人家说你写的不够大气，不够"新潮"，不能畅销，不能传世，不如老的中的也不如跟你同辈的那些名家、那些风头上的人物……吗？如果你平心静气一想，是，是那么回事，人家并没说错，你惭愧，你应当惭愧，惭愧这时既是你为人的义务，也是你自省的权利，但你千万千万不能"抱惭而退"，一退，你就很可能一蹶不振，迅速下滑，甚至于从此万劫不复！

我们落生到这个世界上，不仅有生存的权利，更有创造的权利，"天生我材必有用"，这话绝不是狂傲，而是朴素的心音，是的，我们有不如别人之处，因此不可无惭愧之心，但我们应化惭愧为进力，而不是相反！

寻找温点

记者是永远要追踪热点的，我不是记者，很为自己庆幸，因为热点附近很拥挤，抢到紧跟前不仅费劲，而且还有一定的风险。记者不得不去逐热，我虽得也不去地避热，想起来，还是我活得比记者写意。

有的学问家，追求的是冷门，我非学究，也当不了穷搜的收藏者或苦行的奇旅者，我对甘于在冷门中枯守而不变节者十分钦佩，但也很为自己没有堕入此道而庆幸，因为追冷需要大智勇，作出大牺牲，我秉赋中常，又留恋凡人生活的琐屑乐趣，逐冷者的矢志献身精神我取其一瓢饮，已感满足，却绝无跻身其中之想。论起来，也不是自己没出息，而是颇有自知之明，所以心安理得，悠哉游哉。

我乐于寻找的，是不冷不热的温点。

我们每天除了沉思默想、自言自语，总不免还要同别人说话，除了说公务、商务等方面的"正经话"，势必还要说些闲话，这说闲话既是人生中的一个组成部分，也就不可过于轻视。我们往往在不知不觉中，为所谓"热门话题"俘虏，别人见我们就提出某个热门话题我们本无兴致，或对其情况知之甚少，乃至一无所知，只是出于凑趣，或仅只是出于礼貌，也就把自己的思维、情绪卷进去，徒然地耗去了时间，而到头来一无所获，甚至聊完还感到累得慌，何必被动地去"赶热灶火"？想通了这一点，我现在就能作到和人闲聊时，尽量躲开热门话题，而选取一个彼此都能找到的"衔接温点"，由此切入，娓娓不倦，而心神大畅。

　　举凡读书、旅游、参观、购物、衣着、用具、俚语、时俗……也都如是，人热我避，人喧我静，起码采取一种缓一缓、不着急的态度。有的，热浪流过，人们大呼上当，而我"秋毫无犯"；有的，热而变温，许多人弃它而赶新热点，我从容享受，怡然自得。

　　中庸之道么？顺乎自然么？也许，有一点儒家的"少安毋躁"，有一点道家的"清静无为"，但，也只是各有一点而已，更多的，是对自己身心的珍爱，对自我个性的把握。

　　但寻找温点，也并非唾手可得，我这人对"温"的寻求，不仅是怕烫惧冷的一种对暖的温度考虑，也许是对温情、温和、温厚、温润、温存、温柔、温煦、温馨的复合向往与亲近，在我的人生之旅中，我被烫伤过，也被冻坏过，这许也是我乐于"取温"的外因，但更主要的，恐怕还是我的天性使然。

　　每一个生命个体，都有权选择自己所喜欢而又不伤及他人危害社会的生存状态。有人在逐热不疲中得大快活，有人抱定冷门苦钻到底以证实自我的特异价值，而我却尽可能浸入温境。我想，也许我的同道者更多，因为寻找温点，其实也就是甘于沐浴平凡而真实的人生。

高中女学生的钱包

一位朋友笑问我："你怎么也算计起高中女学生的钱包来？"让我一愣，我想也没想过什么"高中女学生的钱包"，此话何来？岂不可气！朋友见我一脸不快，遂向我解释说："时下的印刷品，首先分为两大类，一为严肃文字，一为消遣消闲文字。消遣消闲文字又分两大类，一为硬性文字，其最主要的特点是展示暴力或准暴力，如某些'法制文学'；另一类为软性文字，其最主要的特点是言情，也不止是男女的恋情，举凡亲情、友情、同窗情、邻里情、人与宠物与大自然之情……都是其展示的范畴，如港、台的言情小说。其实这些 POP(通俗) 类印刷品并不止是文字，有的是画儿，如《世界名枪》、《港台红星》，大多数是图文并茂。现在有许多期刊，走的就是这种路子，但相对而言，趋软的更多一些，一言以蔽之，可称为'花花绿绿的软性刊物'，它们多是以'情'取胜，既新潮，又不逾矩，既温馨，又多少带上一点告诫……阁下不是也给这样的刊物写文章吗？这类印刷品的购买主体，便是高中女学生！"

细想起来，朋友之论虽出于调侃，却也不无一定道理。高雅的文化消费，还有堕落的低级趣味乃至色情追求，"这两头"我们都姑且不论，就通俗文化而言，其消费者，确实大体集中在 15 岁至 40 岁的社会群体中，而最集中的，是 20 岁上下的高中生和大学低年级生，这其中的男生，总体而言，他们的文化消费取向中，购买订阅印刷品的比例，比之于女生们，是要小许多的。越想越是那么回事：高中女学生的钱包，总是最慷慨地向所谓"情、奇、轻、怪"的软性印刷品敞开的，"情"指琼瑶、岑凯伦等台港女作家的言情小说；"奇"指三毛的《撒哈拉故事》一类的作品（哗！她嫁了个西班牙人叫荷西！在撒哈拉大沙漠里遨游！）；"轻"指席慕容、罗兰一类的短小而温馨的散文和警句，这几年大陆也有类似的作家作品出现，且不一定是女性；"怪"的典型例子至目前还不太多，但蔡志忠的漫画书差可归入此类。城市里高中女学生的家长如检阅一下女儿床边的书架，说不定上述我举出的例子，都不仅是有，而且很可能是相当地全。"花花绿绿的软性刊物"，在桌上枕边也一定不难找到，翻开有的"国际大开本"，说不定就会翻到我的文章。

这样的文化消费现象，我以为是大势所趋，一是文化市场也在转型，谁掏钱包买这一点，当然不能是出书办刊者唯一的考虑，但亦必得是主要的一个考虑因素。为扩大发行量，而又不想"伤大雅"，那么，吸引"高中女学生的钱包"，应算是一个并不坏的"生意经"。二是在通俗文化的种种样式中，相对而言，少女的心性，更趋于"乐读"，"高中女学生"的愿为她们喜欢的印刷品（不仅是书和杂志，花花绿绿的贺卡她们也买得最多）掏钱包，这是正常的社会群体心理倾斜，不必予以"回扣"，扫她们的兴。

但想到自己所写的东西，是会有许多现在的高中女学生掏钱购买时，心中不禁怦怦然。没有比少女的情怀更值得尊重、珍惜、诚挚以待和真知以献的了，绝不能瞎糊弄、乱弹琴、唯利是图而亵渎苞蕾！何况她们中的大多数，以后很可能是将以自身的修养熏陶子女的母亲，我们播下的心籽，应能在她们的后代中亦储留下哪怕只是些微的芬芳！

就我个人而言，挑选某些通俗而不恶赖的"花花绿绿的软性杂志"，投一点稿，为的是同最年轻的一代读者取得精神上的联系，同时，可能是不自量力吧——想在通俗文化与高雅文化之间，搭一座桥。

我还能拨动你的琴弦吗?

　　我已经不再年轻,我生命的琴弦,还在颤动。可是,我的琴弦还能与青春的琴弦,引出共鸣来吗?

　　年轻的朋友,你生命的琴弦的颤动,是不是太激越了? 我也曾这样地震颤过,有的弦,在激进的思想与激烈的行动交织而成的旋律中,终于崩断。现在我憬悟,人生有时实在也需要一定的保守,那就是说,无论如何,我们不能无视传统。传统当然一定会有若干甚至是许多过时的、霉变的、腐朽的糟粕,成为青春生命活泼跃动的障碍、累赘、毒雾,为此我们有充分的理由反传统,改造传统。但我们每一个人,特别是每一个群体,又尤其是每一个民族,都不可避免地是传统的产物,我们到头来是不可能将自己从传统中连根拔出的,更不可能使自己彻底地变化融合到另一种传统中去(那另一种传统是否能彻底地容纳你,也还是一个问题)。因之,实事求是地面对自己身在的传统,从中发现、开掘、光大其精华,并认认真真地、高高兴兴地加以继承、丰富、发展,就该是我们人生的使命之一了! 同样地,我们无论如何不能割断历史,历史是很具体的东西,它首先是我们的祖辈、父辈所做过的事,好事和坏事,得与失,功与过,产生出及于我们的祸与福。年轻的生命,往往不可避免地要趾高气扬、毫不留情地审议褒贬父辈的所为,而在这一过程中,又往往"攻其一点,不及其余",或全然不考虑彼时彼况,结果引发出激烈的、有时是极伤感情的代间冲突,这样的冲突是不可能也不应该企望从其他民族中找到仲裁、补偿与慰藉的。因之，到头来，我们必须承认并尊重父辈，我们说到底是他们的传人，而不可能嫁接到另外的血统上，成为别的民族的子孙（人家多半也不要）。这就是说，在我们以青春的勃勃英气体现出激进的批判、革新精神时，我们切记不要崩断了生命的琴弦，无妨留下几分"保守"——保住我们传统中的精华，守住我们代间衔接待续的链环！

年轻的朋友，我想我们都感觉到了，我们这个民族，正处于一个惊心动魄的大转型期中，在这个以改革开放命名的时代里，"保守"是一个被否定的词汇，尤其是年轻人，言保守而必脸红，反保守而成习惯，可是今天我在这里却正面地说及保守，你一定感到诧异了吧？

当然，我所说的保守，和某些人对改革开放、对以经济建设为中心的方针想不通，怀念以阶级斗争为纲的时代的那种保守，是两回事。我们现在所说的是社会学范畴的问题，是我们如何处世待人的问题。

前些天一个大学毕业生，拿出他那精美的留言册对我说："您给我写些对我走向生活有实际用处的箴言吧。"我便一口气为他写下了这些话——

你不但要学会抗争，更应学会妥协；

你不但应向往崇高，更应适应平凡；

你不但应扎扎实实地搞事业，也应扎扎实实地过日子——包括娶妻生子、养家糊口；

你可以嫉大恶如仇，但无妨一定程度地容忍小恶；

你可以高雅自命，但应心平气和地与市俗为邻；

你应珍视你直爽的性格，但你同时应学会与不喜欢直爽的人相处；

你当然知道"什么是真正的爱情"，但你更应知道"爱情不是真正的什么"；

你不要再幻想什么"永恒的爱人"，请退而去求得"终生的伴侣"（其实已属不易），或者更实际地去求得能真正"相伴一程"的"配偶"；

你应当珍惜友谊，但你不可依赖朋友，哪怕是最好的；

你想发财，这很自然，但即使是"合法的暴发"，对你来说也可能是灾难；

人需财几何？绝非"多多益善"，能过上小康的、雅致的生活，应称福境；

你当然可以借债，但应以能偿还为限，你的消费欲望可略高于你的收入现状，但只能是"略高"；

少看或不看那些吹捧富人的文字，尤其是那些先讲其人惨状后描其人辉煌的文字（那样的文章对其"发迹"的具体手段与过程多半"语焉不详"）；

对这一类的"古训"宜取审美的态度对待，而万万不要引为"人间指南"："天生我材必有用""千金散尽还复来""海内存知己，天涯若比邻""踏破铁鞋无觅处，得来全不费工夫"……

来求我题赠的大学毕业生看了我题下的这些箴言后很是吃惊，他扬起眉毛问：你怎么会变成了这样？我们年轻人一向把你看做激进的改革派……

无独有偶。一位很新潮的"文学青年"，且是女士，来找我讨论一个起码在我们这里还是"前卫"的问题："怎样看待文学中的性描写？"我们讨论得很热闹，也很坦率。我说，性作为人的生命存在之必然，当然应是文学表现的一个内容，但——

把凡是写性的文学作品都奉为"先锋之作"（在一些人眼里更是"进步之作"），这起码是幼稚可笑；

文学可以表现性，更可以不表现性；

文学表现性，应不是"为性而性"，文学表现性不应流于色情。什么是色情？我以为直接描写性器官和具体描写性行为的文字便属色情。劳伦斯小说里某些描写也是色情吗？Yes！我认为是！"人家那可是得到高度评价的世界名著。"我也知道，我们的《金瓶梅》应得到更高的评价，但它们并不是因为其色情描写而获得了高评价，恰恰是因为它们绝不仅仅有色情描写，而具备了其他的可贵素质，所以才获得了高评价。对于这样的文学作品，我主张有限制地销售，明确"未成年人不宜"的"游戏规则"……

那位文学女青年听了我的观点，不禁也说：哎呀，我没想到，你在性这个问题上如此保守!

是的，我不但不能满足你们年轻人一味索求的激进，而且还很乐于承认我目前的此种保守——不加引号的保守。比如说性，固然每一个人都"天赋人权"，只要不是强迫诱骗与金钱交易，跟谁性交基本是双方的私事，但我还是要奉劝每一个年轻人：请珍惜你个人的童贞！你在何时何地将你的童贞奉献于何人，这是你独一无二的个体生命最神圣的一桩事，而且在别的事上，失败了或者尚能重来，此事却绝对无"二次机会"，故而请务必保守一点，切切不要轻率"突破"!

年轻的朋友，在你正式踏入生活的门槛后，面对着诡谲莫测的现实与透明度不足的人生前景，我今天不再煽动你激昂火爆的青春心焰（那诚然瑰丽珍贵），我认认真真地，也许是过于冷静地向你提出了"人生有时无妨保守点"的忠告。

我真的不知道还能不能拨动你心上的琴弦。也许我真的走向老境了，从生理到心理，我如今不再一味地以激进为美，不再担心如果我不紧跟最激进的潮流我就会落伍、失利。我不避讳保守，只要良心告诉我，什么是不应彻底砸烂、彻底掀翻的，我就绝不随激流而去"先砸了掀了再说"。我将冷静地旁观，独立地思考，谨慎地投入，固执地占位，真诚地坚持，竭诚地奉献。

今天我心上的琴弦在这样地瑟瑟鸣响，我并不企盼你那年轻的琴弦与我共鸣，但，我感谢你哪怕是极其潦草地用眼睛"听了一听"!

作者自白

"悟"字岂可轻言!

但人生存于世,又岂可浑浑噩噩!

人生的过程,从精神角度论,应是一体悟的攀登;悟有高低快慢之分,其至境为顿悟、透悟、彻悟;笔者在人生路上虽然也历经了一些坎坷,也曾着意悟世,却不敢说悟到了怎样的一个段数上,离所谓透悟、彻悟,自知距离还远。

或许悟到人生的终点,仍不能达到"大彻"。

但我愿将自己一些零零星星的感悟,呈献给读者诸君;相信读者诸君都有各自的感悟,或许我们在这些文章里相会时,得以撞击出心灵的火花;倘我的一星半点的悟辞,竟能抽出读者心中早已潜伏的思绪,并由读者自己生发出蓬勃的联想,享受到一种"悟"的快乐,那我真是三生有幸!

这集子里的文章分为五辑。

第一辑"人生感悟"和第二辑"品味生活"都是为青年人写的,分别在《中国青年报》《时代青年》等报刊上的个人专栏里连载过;坦率地说,都比较浅近,而且有的还留有明显的"应景"痕迹,但从发表后读者的反应和若干篇很快被转载的情形看,它们也有比如说亲切、清丽、角度新颖、探微发隐等特点,所以收入。

第三辑"多味煎饼"大多是发表在天津《今晚报》上同名个人专栏里的小文;可

以算作小小说，也可视为生活随笔；在充满紧张的竞争氛围的喧嚣中，我想同读者一起寻觅一瓣温馨，这虽然够不上“悟”，但或许可以循此进入清凉境，而心的入静，应是“悟”的前提。

第四辑“灯下拾豆”收入的文章较杂，涉及社会生活的许多方面，不乏讽刺与“怪论”，也有正儿八经谈建筑艺术的文章；这一辑的文章说明我所追求的“悟”，同佛教的特别是禅宗的“悟”或许有某些相通处，却并不是一回事儿，相信读者诸君也如此——我们看重体悟，不是为了遁世，而恰恰是为了更好地理解世事与把握自己。

第五辑“仰望苍天”是这个集子的精华，一些文章也许能体现出我到 1993 年初春为止所悟到的地步——我自己除了作为书名和辑名的这篇外，还比较喜欢《他信上帝》《松本清张一去不返》等篇；《分享》这篇甫在《南方周末》刊出，便接到张洁的电话，说读到最后眼泪已然涌出，过了几天，一位原来不认识的编辑来约稿，提及此篇亦告读毕泪下，其实这是一篇单纯至极的文章，啊，原来惟其至纯，才能写者读者同来一悟！

我在这里不加掩饰地把对这本集子里各辑文章的自我感觉告知了读者，我既不想仿狂士之气派，也不愿谋谦虚之美名——反正我生命的一小部分留在这里面了，我珍惜，也盼有读者喜欢其中的几篇。

这世界，这人类，这社会，这生活，这自我，这人性……悟，谈何容易！

但我们知道去悟，努力去悟，相携去悟，无论如何，已是人生中的一份幸福！

1993 年 3 月 27 日于北京绿叶居

[附注：此文为知识出版社 1994 年出版《仰望苍天》第一版的卷首语]

附录一 刘心武文学活动大事记

1942 年

6 月 4 日生于四川省成都市育婴堂街。

后在重庆度过童年。

父母兄姊均热爱文学艺术，深受家庭熏陶。

1950 年

随父母迁居北京，从此定居北京。

在隆福寺小学上小学，在北京 21 中上初中。

1958 年

在北京 65 中上高中。

给若干报刊投稿，屡被退稿。

8 月，在《读书》杂志发表《谈〈第四十一〉》一文，是投稿第一次成功。

1959 年

在《北京晚报》"五色土"副刊陆续发表一些儿童诗、小小说。

为中央人民广播电台少儿部《小喇叭》（对学龄前儿童广播）编写若干节目；其中快板剧《咕咚》经编辑加工、录制后大受欢迎；"文革"中录音带被销毁；1991 年重新录制播出。

1961 年

毕业于北京师范专科学校，分配到北京 13 中任教。

至"文革"前，在《北京晚报》《中国青年报》《人民日报》《光明日报》《大公报》《北京日报》《体育报》《儿童时代》《大众电影》等报刊上发表了约 70 篇小小说、散文、杂文、评论等文章。

1966—1976 年

"文革"中，因 1964 年曾发表过一篇关于京剧的文章，以"反江青"罪名被冲击。

1974 年后再试写作，曾写一关于"教育革命"的长篇小说，由出版社联系获准脱产修改，但终未达到当时出版要求。

1976 年

写出一个大院里孩子们同坏蛋斗争的中篇小说《睁大你的眼睛》并得以出版（北京人民出版社）。

又按照当时政治要求写出一些短篇小说、散文，有的到次年才收入多人合集中出版。

调到北京人民出版社（后恢复"文革"前社名：北京出版社）文艺编辑室当编辑。

1977 年

11 月，在《人民文学》杂志发表短篇小说《班主任》，产生重大影响——被认为是"伤痕文学"的开山作，也是"新时期文学"的发端；从此成名。

从《班主任》后，写作冲破懵懂，沿着认定的方向跋涉，穿越风云，锲而不舍。

1978 年

参加《十月》杂志（开始以丛书名义出版）创刊工作，在创刊号上发表短篇小说《爱情的位置》，经转载和广播，影响巨大。

在《中国青年》杂志上发表短篇小说《醒来吧，弟弟》，反应亦极强烈。

《班主任》《爱情的位置》《醒来吧，弟弟》均被改编为广播剧，由中央人民广播电台多次广播，《醒来吧，弟弟》被搬上话剧舞台；此年发表的短篇小说《穿米黄色大衣的青年》亦由电台播出。

1979 年

在首届全国优秀短篇小说评奖中《班主任》获第一名。颁奖会上，从茅盾先生手中接过奖状。

参加中国作家协会第三次全国代表大会，被选为中国作家协会理事。

成为中华全国青年联合会常务委员，至 1993 年卸任。

9 月，参加中国作家代表团访问罗马尼亚，此系"文革"后第一个作家出访团。

在《人民文学》杂志发表短篇小说《我爱每一片绿叶》，写作技巧有长足进步。

1980 年

调至北京市文联当专业作家。

《我爱每一片绿叶》获 1979 年全国优秀短篇小说奖。

《看不见的朋友》获 1954—1979 年第二届全国少年儿童文学创作奖。

在《十月》杂志发表中篇小说《如意》，其弘扬人道主义的追求引起争议。

出版《刘心武短篇小说选》(北京出版社)。

1981 年

在《十月》杂志发表中篇小说《立体交叉桥》，引出更大争议，一些评论家认为"调子低沉"是步入了写作上的歧途，另有评论家则认为此作标志着刘心武的小说创作在反映现实、探索人性及艺术工力上均达到了新的水平。

5 月，应日本文艺春秋社邀请访问日本。

1982 年

应导演黄健中之请，改编《如意》；北京电影制片厂拍成彩色艺术片《如意》。

1983 年

11 月，参加中国电影代表团赴法国，在南特"三大洲电影节"上，《如意》在开幕式上放映，获好评；后陆续在法国、西德电视台播出。

1984 年

冬，应邀访问西德，参加"中德大学生会见活动"，并在波恩大学、波鸿大学与威尔兹堡大学介绍中国当代文学。

年底，参加中国作家协会第四次全国代表大会，再次当选为理事。

在《当代》文学双月刊第 5、6 期连载长篇小说《钟鼓楼》。

1985 年

出版长篇小说《钟鼓楼》（人民文学出版社），并获第二届茅盾文学奖。

因《钟鼓楼》获北京市政府嘉奖。

7 月，在《人民文学》杂志发表纪实小说《5·19 长镜头》，反响强烈。

11 月，又在《人民文学》杂志发表纪实小说《公共汽车咏叹调》，引起轰动。

1986 年

年初，应当代文艺出版社邀请访问香港。

6 月，调中国作家协会人民文学杂志社，任常务副主编。

在《收获》杂志设《私人照相簿》专栏，进行图文交融的文本尝试。

散文集《垂柳集》出版，冰心为之作序。

1987 年

1 月，被任命为《人民文学》杂志主编。

2 月，《人民文学》杂志 1、2 期合刊发表马建写的小说《亮出你的舌苔或空空荡荡》违反民族政策，承担责任，停职检查。

9 月，复职。

冬，应邀赴美国访问。参观美洲华侨日报；在哥伦比亚大学、三一学院、哈佛大学、麻省理工学院、康奈尔大学、芝加哥大学、旧金山大学、斯坦福大学、伯克利加州大学、洛杉矶加州大学、圣迭戈加州大学等处演讲，介绍中国当代文学，并参观耶鲁大学；参加爱荷华大学"作家写作中心"的纪念活动；游览华盛顿等地。

1988 年

3月，应香港《大公报》邀请，赴香港参加五十周年报庆活动；在《大公报》安排的大型报告会上作关于改革开放与文学创作的报告。

5月，应法国文化部邀请，参加中国作家代表团访问法国，除在巴黎活动外，还访问了西部港口城市圣·拉扎尔。

《私人照相簿》在香港出版（南粤出版社）。

《我可不怕十三岁》获 1980—1985 年全国优秀儿童文学奖。

以上数年中，若干小说、散文还分别获得过《当代》《十月》《小说月报》《小说选刊》《中篇小说选刊》《儿童文学》《北方文学》等杂志，《人民日报》《文汇报》等报纸副刊的奖；拍成电视剧播出的有《没工夫叹息》《熄灭》（电视剧名《火苗》）《今夏流行明黄色》《到远处去发信》《非重点》《公共汽车咏叹调》和八集连续剧《钟鼓楼》；若干作品被英国、美国、西德、苏联、日本、瑞士、瑞典、法国、意大利等国翻译为英、德、俄、日、法、意、瑞典等文字出版；自 1987 年起被世界上有威望的英国欧罗巴出版社《世界名人录》收入词条。

1989 年

春，应香港中文大学翻译中心邀请，与妻子吕晓歌赴香港访问。

1990 年

3月，以任届期满，免去《人民文学》杂志主编职务。

香港中文大学翻译中心编译的英文小说集《黑墙与其他故事》出版。

秋，以"鱼山"笔名在《钟山》杂志发表中篇小说《曹叔》。

1991 年

出版小说集《一窗灯火》。

除小说外，开始发表大量散文、随笔。

1992 年

长篇小说《风过耳》在内地（中国青年出版社）、香港（勤+缘出版社）分别出版，反响颇为强烈。

长篇小说《四牌楼》完稿，交上海文艺出版社出版。

《献给命运的紫罗兰——刘心武谈生存智慧》由上海人民出版社出版，受到读者欢迎。

在《收获》杂志发表中篇小说《小墩子》，后由中国电视剧制作中心改编拍摄为电视连续剧。

至该年，在海内外出版的个人专著按不同版本计已达 43 种。

在《红楼梦学刊》1992 年第二辑上发表论文《秦可卿出身未必寒微》，在"红学"界和读者中均引起注意；另有若干《红楼梦》人物论和《红楼边角》专栏文章发表。

冬，应瑞典学院邀请（斯堪的纳维亚航空公司赞助）赴北欧访问；在挪威奥斯陆大学、瑞典斯德哥尔摩大学和隆德大学、丹麦哥本哈根大学和奥胡斯大学的东亚系汉学专业以《九十年代初的中国小说》为题作学术报告；12 月 7 日，参加诺贝尔文学奖有关活动，听 1992 年得主德里克·沃尔科特发表受奖演说。

1993 年

华艺出版社出版《刘心武文集》（1—8 卷）。

出版长篇小说《四牌楼》。

1994 年

1 月，应台湾《中国时报》邀请赴台参加"两岸三地文学研讨会"。

《四牌楼》获上海优秀长篇小说大奖，到沪领奖。

1995 年

出版随笔集《人生非梦总难醒》（上海人民出版社）。

出版小说集《仙人承露盘》（华艺出版社）。

1996 年

出版长篇小说《栖凤楼》（人民文学出版社）。至此，由《钟鼓楼》《四牌楼》《栖凤楼》构成的"三楼"长篇小说系列竣工。

应《南洋商报》邀请赴马来西亚访问并顺访新加坡。

1997 年

应日本文化交流基金会邀请，与妻子吕晓歌访问日本。其长篇小说《钟鼓楼》、儿童文学作品《我是你的朋友》、短篇小说《王府井万花筒》等此前已相继译为日文在日本出版。

1998 年

建筑评论集《我眼中的建筑与环境》由中国建筑工业出版社出版，在建筑界产生影响。

应美国科罗拉多大学邀请，赴美参加金庸作品国际研讨会，在会上提交关于《鹿鼎记》的论文《失父：一种生存困境》。

1999 年

出版纪实性长篇小说《树与林同在》(山东画报出版社)。

出版《红楼三钗之谜》(华艺出版社)。

赴新加坡出席国际环境文学研讨会。

2000 年

应邀访问法国，并应英中协会和伦敦大学邀请，从巴黎赴伦敦讲《红楼梦》。

至此年底在海内外出版的个人专著（不含文集）按不同版本计达 101 种。

2001 年

出版包含建筑评论的随笔集《在忧郁中升华》(文汇出版社)。

在北京电视台录制播出《刘心武谈建筑》系列节目。

2002 年

出版小说集《京漂女》(中国文联出版社)，自绘插图。

应澳大利亚雪梨华文写作协会邀请赴澳大利亚访问。

2003 年

以马来西亚《星洲日报》世界华人文学"花踪奖"评委身份赴吉隆坡参加相关活动。

台湾联经出版社出版小说集《人面鱼》。此前台湾已出版过刘心武多种作品，如皇冠出版社出版了《钟鼓楼》,幼狮文化事业公司出版了《四牌楼》《为他人默默许愿》（散文集）。

2004 年

赴法参加巴黎书展活动。书展上展出了译为法文的著作有小说《树与林同在》《护城河边的灰姑娘》《尘与汗》《人面鱼》《如意》与歌剧剧本《老舍之死》。

建筑评论集《材质之美》由中国建材工业出版社出版。

小说集《站冰》出版（人民文学出版社），自绘封面插图。

2005 年

出版集历年研红成果的《红楼望月》（书海出版社）。

应 CCTV-10（中央电视台科学教育频道）《百家讲坛》邀请，录制播出《刘心武揭秘〈红楼梦〉》系列节目 23 集，反响强烈，引出争议。

《刘心武揭秘〈红楼梦〉》第一、二部相继出版（东方出版社），畅销。

2006 年

应美国华美协会邀请，赴纽约在哥伦比亚大学讲《红楼梦》。

应邀参加香港书展。

出版《刘心武揭秘古本〈红楼梦〉》（人民出版社）。

2007 年

继续应邀到 CCTV-10《百家讲坛》录制节目，并出版《刘心武揭秘〈红楼梦〉》第三部、第四部（东方出版社）。

访问俄罗斯。

2008 年

出版随笔集《健康携梦人》（中国海关出版社）。

自 1986 年出版《垂柳集》，至此所出版的散文随笔集已逾 30 种。

2009 年

在《上海文学》杂志开《十二幅画》专栏，每期发表一篇写人物命运的大散文，并配发自己的画作。

4 月，妻子吕晓歌病逝，著长文《那边多美呀！》悼念。

2010 年

再应 CCTV-10《百家讲坛》邀请，录制播出《〈红楼梦〉的真故事》系列节目。至此在《百家讲坛》录制播出关于《红楼梦》的个人系列讲座累计达 61 集。

出版《〈红楼梦〉的真故事》（凤凰联动·江苏人民出版社），在争议声中畅销。

4 月，应台湾新地文学社邀请赴台参加"21 世纪世界华文文学高峰会议"。

出版《命中相遇——刘心武话里有画》（上海文艺出版社）。

加快《刘心武续〈红楼梦〉》的写作，次年完成推出。

至本年底，在海内外出版的个人专著，文集不算在内，重印亦不算，按不同版本计达 182 种（按不同书名计则为 141 种）。

年底，筹备编辑《刘心武文存》。

附录二 刘心武著作书目

只包括在中国大陆、台湾、香港和海外出版的书（同一著作每种版本单列）；不包括散发于报刊尚未出书的篇目，亦不包括多人合集中的篇目。第一个数字表示不同版本的排序；［ ］中的数字表示剔除同一书名的版本后的排序；注意：文集 8 卷不参加排序。

1976 年

1.[1]《睁大你的眼睛》［儿童文学·中篇小说］

北京人民出版社 1976 年 1 月第一版

1978 年

2.[2]《母校留念》［儿童文学·小说集］

中国少年儿童出版社 1978 年 7 月第一版

1979 年

3.[3]《小猴吃瓜果》［低幼读物·画册］

少年儿童出版社 1979 年 4 月第一版

1980 年 6 月第二次印刷

4.[4]《班主任》［短篇小说集］

中国青年出版社 1979 年 6 月第一版

1980 年

5.[5]《我是你的朋友》[儿童文学·中篇小说]

北京出版社 1980 年 7 月第一版

6.[6]《绿叶与黄金》[中短篇小说集]

广东人民出版社 1980 年 8 月第一版

7.[7]《刘心武短篇小说集》

北京出版社 1980 年 9 月第一版

1981 年

8.《这里有黄金》[中短篇小说集]

广东人民出版社 1981 年 4 月第二次印刷

有平装、软精装两种

9.[8]《大眼猫》[中短篇小说集]

浙江人民出版社 1981 年 8 月第一版

1982 年

10.[9]《如意》[中篇小说集]

北京出版社 1982 年 5 月第一版

1983 年

11.[10]《中国现代作家选（Ⅲ）刘心武〈我爱每一片绿叶〉〈深谷小溪默默流〉》

[日本] 东方书店 1983 年第一版

12.[11]《同文学青年对话》

文化艺术出版社 1983 年 10 月第一版

1984 年

13.[12]《到远处去发信》[中短篇小说集]

四川人民出版社 1984 年 4 月第一版

有平装、软精装两种

14.[13]《如意》[电影文学剧本](与戴宗安联合署名)

中国电影出版社 1984 年 6 月第一版

1985 年

15.[14]《嘉陵江流进血管》[中篇小说集]

陕西人民出版社 1985 年 2 月第一版

16.[15]《日程紧迫》[中短篇小说集]

群众出版社 1985 年 5 月第一版

17.[16]《我可不怕十三岁》[儿童文学集]

新世纪出版社 1985 年 8 月第一版

18.[17]《钟鼓楼》[长篇小说]

人民文学出版社 1985 年 11 月第一版

有平装、软精装两种

1986 年 5 月第二次印刷

1986 年

19.[18]《公共汽车咏叹调》[纪实小说]

湖南文艺出版社 1986 年 1 月第一版

20.[19]《都会咏叹调》[小说集]

作家出版社 1986 年 3 月第一版

21.[20]《垂柳集》[散文集]

陕西人民出版社 1986 年 4 月第一版

22.[21]《立体交叉桥》[中短篇小说集]

人民文学出版社 1986 年 6 月第一版

有平装、软精装两种

23.[22]《巴黎郁金香》[访法散文集]

群众出版社 1986 年 11 月第一版

24.[23]《木变石戒指》[中短篇小说集]

青海人民出版社 1986 年 12 月第一版

1987 年

25. *Little Monkey Triesto Eat Fruit* [科学童话·英文]

海豚出版社 1987 年第一版

有平装、精装两种

26.[24]《斜坡文谈》[文学理论]

上海文艺出版社 1987 年 4 月第一版

27.[25]《王府井万花筒》[中篇小说集]

湖南文艺出版社 1987 年 9 月第一版

有平装、精装两种

28.[26]《5·19 长镜头》[小说自选集]

四川文艺出版社 1987 年 11 月第一版

29.げくけきの友たちだ [《我是你的朋友》日译本]

[日本] 福武书店 1987 年 12 月第一版

1989 年 3 月第二版

1991 年 2 月第三版

1988 年

30.[27]《她有一头披肩发》[中短篇小说集]

台湾林白出版社 1988 年 4 月第一版

31.《钟鼓楼》[长篇小说]

香港天地图书有限公司 1988 年第一版

1993 年第二版

32.[28]《私人照相簿》[纪实文学]

香港南粤出版社 1988 年 11 月第一版

33.[29]《刘心武代表作》

> 黄河文艺出版社 1988 年 12 月第一版

1989 年

34.《小猴吃瓜果》[科学童话]

> 开明出版社、海豚出版社 1989 年 3 月第一版

35.《钟鼓楼》[长篇小说]

> 台湾皇冠出版社 1989 年 4 月第一版

36.[30]《一片绿叶对你说》[文艺随笔集]

> 河北教育出版社 1989 年 12 月第一版

1990 年

37.[31]*BLACK WALLS AND OTHER STORIES*[小说集·英译本]

> 香港中文大学翻译中心出版社 1990 年第一版

38.[32]《王府井万花镜》[小说集·日译本]

> [日本] 德间书店 1990 年 9 月第一版

1991 年

39.《母校留念》[小说]

> [日本] 骏河台出版社 1991 年 4 月第一版

40.[33]《一窗灯火》[中短篇小说集]

> 华艺出版社 1991 年 10 月第一版
>
> 1993 年第二次印刷

1992 年

41.[34]《列奥纳多·达·芬奇》[传记]

> 江苏教育出版社 1992 年 5 月第一版

42.[35]《有家可归》[散文随笔集]

> 广东旅游出版社 1992 年 5 月第一版

43.[36]《风过耳》[长篇小说]

中国青年出版社 1992 年 6 月第一版

1992 年 12 月第二次印刷

1993 年 3 月第三次印刷

1995 年 8 月第五次印刷

1996 年 3 月第六次印刷

44.《风过耳》[长篇小说]

香港勤＋缘出版社 1992 年 6 月第一版

45.[37]《献给命运的紫罗兰——刘心武谈生存智慧》

上海人民出版社 1992 年 6 月第一版

1992 年 11 月第二次印刷

1995 年第三次印刷

1996 年 12 月第五次印刷

46.《刘心武代表作》

河南人民出版社 1992 年 6 月第二次印刷·精装本

47.[38]《蓝夜叉》[中篇小说集]

香港勤＋缘出版社 1992 年 9 月第一版

1993 年

48.《北京下町物语》[长篇小说·《钟鼓楼》日译本]

[日本]东京恒文社 1993 年 2 月第一版

1994 年第二版

49.[39]《为你自己高兴》[随笔集]

内蒙古人民出版社 1993 年 3 月第一版

50.[40]《杀星》[小说集]

香港勤＋缘出版社 1993 年 6 月第一版

51.《我是你的朋友》[儿童文学·中篇小说·增订本]

　　　　　　　　　　　　　　希望出版社 1993 年 6 月第一版

52.[41]《四牌楼》[长篇小说]

　　　　　　　　　　　　上海文艺出版社 1993 年 6 月第一版

　　　　　　　　　　　　　　　1994 年 4 月第二次印刷

　　　　　　　　　　　　　　　1996 年 11 月第三次印刷

53.[42]《我是怎样的一个瓶子》[随笔集]

　　　　　　　　　　　　　　成都出版社 1993 年 9 月第一版

54.[43]《沉默交流》[随笔集]

　　　　　　　　　　　　中国华侨出版社 1993 年 11 月第一版

55.[44]《富心有术》[随笔集]

　　　　　　　　　　　　　群众出版社 1993 年 12 月第一版

　　　　　　　　　　　　　　　1995 年第二次印刷

56.[45]《中国当代名人随笔·刘心武卷》

　　　　　　　　　　　　陕西人民出版社 1993 年 12 月第一版

☆《刘心武文集》[1—8 卷]

　　　　　　　　　　　　　华艺出版社 1993 年 12 月第一版

☆《刘心武文集·〈钟鼓楼〉〈风过耳〉》(简装本)

☆《刘心武文集·〈四牌楼〉〈无尽的长廊〉》(简装本)

　　　　　　　　　　　　　华艺出版社 1997 年 5 月第一版

1994 年

57.[46]《仰望苍天》[随笔集]

　　　　　　　　　　　　　知识出版社 1994 年 1 月第一版

　　　　　　　　　　　　　　　1995 年第二次印刷

　　　　　　　　　　　东方出版中心 1996 年 7 月第三次印刷

58.[47]《男扮女妆与女扮男妆》[随笔集]

　　　　　　　　　　　　中原农民出版社 1994 年 2 月第一版

59.[48]《相对一笑》[小小说集]

中共中央党校出版社 1994 年 2 月第一版

60.[49]《秦可卿之死》[专著]

华艺出版社 1994 年 5 月第一版

61.《四牌楼》[长篇小说]

台湾幼狮文化事业公司 1994 年 8 月第一版

62.[50]《为他人默默许愿》[散文集]

台湾幼狮文化事业公司 1994 年 10 月第一版

63.[51]《中国小说名家新作丛书·刘心武卷》

海峡文艺出版社 1994 年 11 月第一版

64.[52]《红楼梦(缩写本)》

接力出版社 1994 年 12 月第一版

1995 年第二次印刷

1997 年 9 月第三次印刷

1995 年

65.[53]《人生非梦总难醒》[名人日记·随笔集]

上海人民出版社 1995 年 1 月第一版

1995 年 3 月第二次印刷

66.[54]《仙人承露盘》[中短篇小说集]

华艺出版社 1995 年 3 月第一版

67.[55]《女性与城市》[杂文集]

中国城市出版社 1995 年 6 月第一版

68.《我是你的朋友》[增订版·"小学生成才书架"系列之一]

希望出版社 1995 年 10 月第一版

69.《在胡同里转悠》[随笔集]

陕西人民出版社 1995 年 11 月第二次印刷

70.[56]《刘心武海外游记》

华文出版社 1995 年 12 月第一版

1996 年

71.[57]《刘心武小说精选》

太白文艺出版社 1996 年 2 月第一版

72.[58]《开发心大陆》[随笔集]

吉林人民出版社 1996 年 3 月第一版

1997 年 3 月第二次印刷

73.[59]《你哼的什么歌》[散文集]

湖南文艺出版社 1996 年 6 月第一版

74.[60]《刘心武张颐武对话录——"后世纪"的文化了望》

漓江出版社 1996 年 7 月第一版

75.[61]《边缘有光》[随笔集]

汉语大辞典出版社 1996 年 8 月第一版

76.[62]《刘心武怪诞小说自选集》

漓江出版社 1996 年 8 月第一版

有平装、精装两种

77.[63]《我是刘心武》

团结出版社 1996 年 9 月第一版

78.[64]《刘心武》[中国当代作家选集丛书]

人民文学出版社 1996 年 10 月第一版

79.[65]《刘心武杂文自选集》

百花文艺出版社 1996 年 11 月第一版

80.《秦可卿之死》[修订本]

华艺出版社 1996 年 11 月第二版

81.[66]《栖凤楼》[长篇小说]

> 人民文学出版社 1996 年 12 月第一版
>
> 1998 年 3 月第二次印刷

1997 年

82.[67]《封神演义（缩写本）》

> 接力出版社 1997 年 1 月第一版
>
> 1997 年 9 月第二次印刷

83.[68]《胡同串子》[中短篇小说集]

> 北京燕山出版社 1997 年 8 月第一版

84.《私人照相簿》

> 上海远东出版社 1997 年 9 月第一版
>
> 1998 年 2 月第二次印刷
>
> 2000 年换封面版权页称 2000 年 6 月第二次印刷

85.[69]《中国儿童文学名家作品精选丛书·刘心武作品精选》

> 河北少年儿童出版社 1997 年 8 月第一版

86.[70]《把嘴张圆》[随笔集]

> 上海远东出版社 1997 年 12 月第一版

1998 年

87.[71]《我眼中的建筑与环境》[建筑评论随笔集]

> 中国建筑工业出版 1998 年 5 月第一版
>
> 1999 年 5 月第二次印刷
>
> 2000 年 6 月第三次印刷
>
> 2001 年 6 月第四次印刷

88.《钟鼓楼》[茅盾文学奖获奖书系]

> 人民文学出版社 1998 年 3 月第一次印刷
>
> 1998 年 7 月第二次印刷

1998 年 8 月第三次印刷

1999 年 3 月第四次印刷

2000 年 1 月第五次印刷

2001 年 1 月第六次印刷

2001 年 8 月第七次印刷

2002 年 8 月第八次印刷

2003 年 1 月第九次印刷

1999 年

89.[72]《树与林同在》[非虚构长篇小说]

山东画报出版社 1999 年 3 月第一版

2006 年 7 月第二次印刷

90.[73]《八十六颗星星》(*The Eighty-Six Stars*)[儿童文学小说 · 汉英对照]

希望出版社 1999 年 6 月第一版

91.[74]《红楼三钗之谜》[刘心武红学探佚精品]

华艺出版社 1999 年 9 月第一版

92.[75]《蓝玫瑰》[中短篇小说集]

中国华侨出版社 1999 年 10 月第一版

93.[76]《过隧道的心情》[随笔集]

华东师范大学出版社 1999 年 12 月第一版

2000 年

94.[77]《一切都还来得及》[随笔集]

中国青年出版社 2000 年 1 月第一版

95.[78]《善的教育》[儿童文学]

辽宁少年儿童出版社 2000 年 2 月第一版

96.[79] Le Talisman (version bilingue)[《如意》中、法文对照版]

Librarie You Feng 2000 年 4 月第一版

97.[80]《作家刘心武〈班主任〉手迹》

　　　　　　　　　　　　　　　线装书局 2000 年 5 月第一版

98.[81]《楼前白玉兰》[小小说集]

　　　　　　　　　　　中国广播电视出版社 2000 年 7 月第一版

99.[82]《刘心武侃北京》

　　　　　　　　　　　　上海文艺出版社 2000 年 10 月第一版

100.[83]《我爱吃苦瓜》[茅盾文学奖获奖作家散文精品]

　　　　　　　　　　　　　广州出版社 2000 年 10 月第一版

　　　　　　　　　　　　　　2002 年 10 月第二次印刷

101.[84]《了解高行健》

　　　　　　　　　　　香港开益出版社 2000 年 12 月第一版

2001 年

102.[85]《亲近苍莽》

　　　　　　　　　　　　中国旅游出版社 2001 年 1 月第一版

103.[86]《在忧郁中升华》

　　　　　　　　　　　　　文汇出版社 2001 年 2 月第一版

　　　　　《刘心武谈建筑——在忧郁中升华》2007 年 8 月第二次印刷

104.[87]《人在风中》

　　　　　　　　　　　　　作家出版社 2001 年 8 月第一版

105.《风过耳》

　　　　　　　　　　　时代文艺出版社 2001 年 10 月第一版

　　　　　　　　　　　　　　有平装、精装两种

2002 年

106.[88]《京漂女》(自绘插图)

　　　　　　　　　　　中国文联出版社 2002 年 1 月第一版

107.[89]《深夜月当花》

中国工人出版社 2002 年 1 月第一版

108.[90]《春梦随云散》

人民文学出版社 2002 年 4 月第一版

109.[91]《藤萝花饼》

台湾二鱼文化事业有限公司 2002 年 4 月第一版

110.[92]《刘心武自述》

大象出版社 2002 年 10 月第一版

2003 年

111.[93] L'arbre et la forêt [《树与林同在》法译本]

Bleu de Chine 2003 年 1 月第一版

112.[94]《人面鱼》

台湾联经出版事业股份有限公司 2003 年 2 月初版

113.[94] La Cendrillon Du Canal [《护城河边的灰姑娘》法译本]

Bleu de Chine 2003 年 4 月第一版

114.[95]《画梁春尽落香尘》["红学"专著]

中国广播电视出版社 2003 年 6 月第一版

2003 年 9 月第二次印刷

2004 年 1 月第三次印刷

2005 年 6 月第四次印刷

115.[96]《眼角眉梢》

新华出版社 2003 年 8 月第一版

116.[97]《钟鼓楼》[初中生语文新课标必读]

人民日报出版社 2003 年 9 月第一版

117.[98]《天梯之声》

中国青年出版社 2003 年 10 月第一版

2004 年

118.[99] Poussiêre et sueur [《尘与汗》法译本]

Bleu de Chine 2004 年 1 月第一版

119.[100] La mort de Lao SHe [《老舍之死》歌剧剧本法译本]

Bleu de Chine 2004 年 3 月第一版

120.[101] Poisson à face humaine [《人面鱼》法译本]

Bleu de Chine 2004 年 3 月第一版

121.《如意》[电影伴读中国文学文库·附电影光盘]

中国青年出版社 2004 年 1 月第一版

122.[102]《泼妇鸡丁》

台湾二鱼文化事业有限公司 2004 年 4 月第一版

123.[103]《在柳树臂弯里——刘心武随笔》

光明日报出版社 2004 年 5 月第一版

124.[104]《材质之美——刘心武城市文化酷评》

中国建材工业出版社 2004 年 5 月第一版

125.[105]《站冰——刘心武小说新作集》（自绘插图）

人民文学出版社 2004 年 6 月第一版

126.《四牌楼》

上海文艺出版社 2004 年 8 月第二版

127.[106]《大家文丛：刘心武》

古吴轩出版社 2004 年 8 月第一版

2005 年

128.《钟鼓楼》（中国文库·文学类）

人民文学出版社 2005 年 1 月第一版第一次印刷（平装）

2005 年 1 月第一版第一次印刷（精装）

129.《钟鼓楼》(茅盾文学奖获奖作品全集之一)

人民文学出版社 1985 年 11 月第一版、2005 年 1 月第一次印刷

2005 年 5 月第二次印刷

2005 年 7 月第三次印刷

2006 年 3 月第四次印刷

2008 年 4 月第七次印刷

2009 年 8 月第八次印刷

2010 年 1 月第九次印刷

2011 年 7 月第 15 次印刷

2011 年 9 月第 16 次印刷

2011 年 11 月第 17 次印刷

130.[107]《心灵体操》

时代文艺出版社 2005 年 1 月第一版

131.[108]《刘心武作文示范》

少年儿童出版社 2005 年 1 月第一版

132.[109] La Démone bleue (《蓝夜叉》法译本)

Bleu de Chine 2005 年第一版

133.[110]《红楼望月》

书海出版社 2005 年 4 月第一版

2005 年 6 月第二次印刷

2005 年 7 月第三次印刷

2005 年 8 月第四次印刷

2005 年 9 月第五次印刷

2005 年 9 月第六次印刷

134.[111]《刘心武揭秘〈红楼梦〉》

东方出版社 2005 年 8 月第一版

至 2005 年 19 月共十三次印刷

2005 年 11 月第二版

至 2005 年 12 月已第十八次印刷

至 2007 年 7 月已第二十八次印刷

2007 年 12 月第三十次印刷

2008 年 4 月第三十二次印刷

135.《红楼解梦——画梁春尽落香尘》

中国广播电视出版社 2005 年 9 月第二版第五次印刷

136.《楼前白玉兰——刘心武最新小小说集》

中国广播电视出版社 2005 年 9 月第二版第二次印刷

137.[112]《刘心武揭秘〈红楼梦〉》[第二部]

东方出版社 2005 年 12 月第一版

至 2007 年 7 月已第十五次印刷

2007 年 12 月第十七次印刷

2008 年 4 月第十九次印刷

138.[113]《刘心武解读人世情》

时代文艺出版社 2005 年 12 月第一版

139.[114]《刘心武感悟平常心》

时代文艺出版社 2005 年 12 月第一版

2006 年

140.[115]《刘心武自选集》

云南人民出版社 2006 年 1 月第一版

141.[116]《刘心武点评〈红楼梦〉》

团结出版社 2006 年 1 月第一版

142,《刘心武精品集·第一卷·钟鼓楼》

东方出版社 2006 年 1 月第一版

143.《刘心武精品集·第二卷·四牌楼》

东方出版社 2006 年 1 月第一版

144.《刘心武精品集·第三卷·栖凤楼》

东方出版社 2006 年 1 月第一版

145.《刘心武精品集·第四卷·献给命运的紫罗兰》

东方出版社 2006 年 1 月第一版

146.[117]《戴敦邦绘刘心武评〈金瓶梅〉人物谱》

作家出版社 2006 年 4 月第一版

147.[118]《红楼拾珠》

云南人民出版社 2006 年 5 月第一版

148.[119]《藤萝花饼》

云南人民出版社 2006 年 5 月第一版

149.《刘心武揭秘〈红楼梦〉》[第一部]

台湾好读出版有限公司 2006 年 6 月初版

150.《刘心武揭秘〈红楼梦〉》[第二部]

台湾好读出版有限公司 2006 年 6 月初版

151.《我是刘心武》

天津人民出版社 2006 年 8 月第一版

152.[120]《刘心武揭秘古本〈红楼梦〉》

人民出版社 2006 年 12 月第一版

同月第二次印刷

2007 年

153.[121]《四棵树》

二十一世纪出版社 2007 年第一版

154.[122]《用心去游》

上海三联书店 2006 年 12 月第一版

2007 年 1 月第一次印刷

155.[123] Dés de poulet façon mégère [《泼妇鸡丁》法译本]

Bleu de Chine 2007 年 4 月第一版

156.《一切都还来得及》

中国青年出版社 2005 年 5 月第一版

157.[124]《刘心武揭秘〈红楼梦〉》[第三部·黛玉之谜及古本之秘]

东方出版社 2007 年 7 月第一版

至 2007 年 8 月已第四次印刷

2007 年 12 月第六次印刷

2008 年 3 月第七次印刷

158.[125]《刘心武说世道人心》

中国青年出版社 2007 年 7 月第一版

159.[126]《刘心武说寻美感悟》

中国青年出版社 2007 年 7 月第一版

160.[127]《刘心武说草根情怀》

中国青年出版社 2007 年 7 月第一版

161.[128]《长吻蜂》

上海人民出版社 2007 年 8 月第一版

162.《私人照相簿》

华龄出版社 2007 年 10 月第一版

163.《善的教育》

华龄出版社 2007 年 10 月第一版

164.[129]《刘心武揭秘〈红楼梦〉》[第四部·宝钗湘云之谜暨红楼心语]

东方出版社 2007 年 11 月第一版

2008 年 3 月第三次印刷

2008 年

165.[130]《健康携梦人》

中国海关出版社 2008 年 4 月第一版

166.[131]《刘心武小说》

吉林文史出版社 2008 年 5 月第一版

167.[132]《刘心武散文》

吉林文史出版社 2008 年 5 月第一版

2009 年

168.《钟鼓楼》（共和国作家文库）

作家出版社 2009 年 4 月第一版

169.《四牌楼》（共和国作家文库）

作家出版社 2009 年 4 月第一版

170.[133]《人在胡同第几槐》

中国文联出版社 2009 年 6 月第一版

171.《钟鼓楼》（新中国 60 年长篇小说典藏）

人民文学出版社 2009 年 7 月第一版

172.[134]《刘心武短篇小说》

现代教育出版社 2009 年 8 月第一版

173.[135]《刘心武中篇小说》

现代教育出版社 2009 年 8 月第一版

174.[136]《刘心武散文随笔》

现代教育出版社 2009 年 8 月第一版

175.《刘心武揭秘〈红楼梦〉》上卷（共和国作家文库）

作家出版社 2009 年 8 月第一版

176.《刘心武揭秘〈红楼梦〉》下卷（共和国作家文库）

作家出版社 2009 年 8 月第一版

2010 年

177.[137]《人情似纸》

江苏文艺出版社 2010 年 1 月第一版

178.[138]《红楼梦八十回后真故事》

江苏人民出版社 2010 年 3 月第一版

179.[139]《刘心武小说精选集》

[台湾]新地文化艺术有限公司 2010 年 4 月第一版

180.《红楼望月》

江苏人民出版社 2010 年 6 月第一版

2010 年 9 月第二次印刷

181.[140]《命中相遇——刘心武话里有画》

上海文艺出版社 2010 年 7 月第一版

182.[141]《红楼眼神》

重庆出版社 2010 年 9 月第一版

2011 年

183.[142]《刘心武续红楼梦》

江苏人民出版社 2011 年 3 月第一版

江苏人民出版社 2011 年 4 月第 4 次印刷

184.[143]《红楼梦》(曹雪芹著刘心武续)

江苏人民出版社 2011 年 3 月第一版

185.《刘心武续红楼梦》[繁体字竖排本]

香港明报出版社有限公司 2011 年 3 月初版

186.《刘心武揭秘〈红楼梦〉》精华本(一)

江苏人民出版社 2011 年 4 月第一版

187.《刘心武揭秘〈红楼梦〉》精华本(二)

江苏人民出版社 2011 年 4 月第一版

188.《刘心武揭秘〈红楼梦〉》精华本（三）

江苏人民出版社 2011 年 4 月第一版

189.《刘心武揭秘〈红楼梦〉》精华本（四）

江苏人民出版社 2011 年 4 月第一版

190.《刘心武续红楼梦》[繁体字竖排本]

台湾城邦文化事业股份有限公司商周出版 2011 年 4 月第一版

191.《〈红楼梦〉的真故事》

台湾人类智库数位科技股份有限公司 2011 年 6 月第一版

192.[144]《听刘心武说房子的事儿》

中国商业出版社 2011 年 8 月第一版

193.[145]《刘心武心灵随感》

时代文艺出版社 2011 年 11 月第一版

2012 年

194.[146]《刘心武种四棵树》

漓江出版社 2012 年 1 月第一版

195.[147]《风雪夜归正逢时——我是刘心武》

漓江出版社 2012 年 1 月第一版

196.《献给命运的紫罗兰》

漓江出版社 2012 年 1 月第一版

197.[148]《人生有信》

江苏人民出版社 2012 年 3 月第一版

198.Poussière et sueur [《尘与汗》法译本 folio 袖珍版]

Gallimard 2012 年 8 月出版

199.La Cendrillon du canal [《护城河边的灰姑娘》法译本 folio 袖珍版]

Gallimard 2012 年 8 月出版